España: siglo XX
1898-1931

Javier Paniagua

ANAYA

Colección: Biblioteca Básica
Serie: Historia

Diseño de la serie: Narcís Fernández

Maquetación: Angel Guerrero

Coordinación científica: Joaquim Prats i Cuevas
(Catedrático de Instituto y Profesor de Historia de la Universidad de Barcelona)

Coordinación editorial: Juan Diego Pérez González
Enrique Posse Andrada

© Javier Paniagua

© 1987, de la edición española, Grupo Anaya, S. A.
Telémaco, 43. 28027 Madrid
Primera edición, 1987
Segunda edición, corregida, 1988
Tercera edición, 1989
Cuarta edición, 1991
I.S.B.N.: 84-207-3363-6
Depósito legal: M-18.034-1991
Impreso por ORYMU, S. A. C/ Ruiz de Alda, 1
Polígono de la Estación, PINTO (Madrid)
Impreso en España - Printed in Spain

Contenido

SIGLO XX: Cambalache, problemático y febril

La noche del 31 de diciembre de 1900 fue de jolgorio para mucha gente. Hombres con levita y sombreros de copa, mujeres con trajes de noche se trasladaban en coches de caballos a las fiestas de fin de año. Otros, en cambio, vestidos con blusas y alpargatas, cubiertos con gorra junto a sus mujeres e hijas con mantones, habían de contentarse con música de zambombas y un plato tal vez más abundante y caliente que otros días. Aristócratas, burgueses, obreros y campesinos esperaban, cuando sonaron las doce campanadas, que todo se cumpliera según sus deseos y anhelos.

Un nuevo siglo amanecía y ello siempre provocaba ilusiones y esperanzas, aunque fuera a fuerza de olvidar por unos momentos la realidad cotidiana. Aparentemente, las cosas estaban en calma, los países europeos habían desarrollado un poder económico y político que les servía para ejercer la hegemonía mundial, abriendo nuevas rutas y asentándose en territorios hasta entonces inexplorados.

La idea de progreso que tanta fuerza había tenido en el siglo XIX parecía sobrepasada por los avances técnicos. La medicina, la biología, la historia, la psiquiatría, la ingeniería, las comunicaciones, junto a una nueva estética funcional aplicada al crecimiento de las comodidades del hogar, adquirían un desarrollo nunca visto; la ciencia no era ya esa actividad clandestina de alquimistas que de nada servía a la vida de cada día. Por primera vez, se extendían a escala masiva los progresos científicos y, con ellos, la capacidad de los hombres y las mujeres para acceder a los beneficios sociales.

Comenzaba el tiempo de los ciudadanos anónimos. *La rebelión de las masas* fue el título

El siglo XX español constituye un pequeño universo de contrastes. Al lado de la imagen bella y delicada de la página anterior («Delante de una tienda de antigüedades», dibujo de Carlos Vázquez, 1904) vemos esta otra de la página siguiente en la que la Guardia Civil dispara sobre unos manifestantes (obreros y anarquistas) en la Rambla de Cataluña de Barcelona. Este dibujo de la época representa la huelga general de Barcelona de marzo de 1902.

de un libro de Ortega y Gasset que, con cierto elitismo y temor, reflexionaba sobre el empuje de las clases populares para conquistar su protagonismo. Era el inicio de la sociedad de consumo y los Estados tenían que adaptarse a las nuevas circunstancias. La aparente tranquilidad iba a desvanecerse. El siglo XX es el tiempo de la lucha contra la desigualdad, contra los privilegios de clase o corporativos, de la búsqueda de una cultura de masas, con el deseo de abarcar en un mismo proyecto a toda la humanidad, de comprender otras culturas; de eliminar las barreras entre los sexos, con la igualdad de hombres y mujeres; de proteger a la infancia y a los viejos; de luchar contra el dolor y la tortura. Pero no será un camino fácil. Profundas divergencias y enfrentamientos darán lugar a guerras exterminadoras, a humillaciones de pueblos y de comunidades, como si los deseos y la realidad fueran muy divergentes. Regímenes y gobiernos cayeron y nuevas políticas transformaron las relaciones sociales. Viejas costumbres familiares se alteraron y el deseo de extender la felicidad en este mundo fue un propósito político y social declarado. En suma, una época de contrastes; con muchos problemas y llena de acontecimientos. El siglo XX es, como dice la estrofa del tango de Enrique Santos Discepolus, «Cambalache, problemático y febril».

En España iban a producirse las mismas mutaciones y alteraciones que en el resto de los países europeos, pero con las particularidades propias de su historia. Una nueva era había comenzado dos años antes, con la pérdida de las últimas colonias y la consiguiente crisis de su sistema político. Los primeros 30 años estuvieron llenos de convulsiones, de enfrentamientos sociales. Los españoles pugnaron por conquistar una estabilidad política en la que cupiesen todas las opciones.

No era un país avanzado entre los europeos. Se ha hablado de una sociedad analfabeta de viejos hábitos y costumbres, con escasa aportación a la investigación científica. Todo ello es verdad, pero con muchas matizaciones. Sólo Inglaterra (y no en todo su territorio), parte de Francia y de Alemania, Holanda y Bélgica disfrutaban de unas condiciones sociales, culturales y económicas más favorables. El resto de Europa padecía también el atraso y pugnaba, como los españoles, por acercarse a cotas de mayor progreso. En esta lucha saldrán a la luz muchos conflictos y el proceso no será nada fácil. Desde 1900 a 1986, año de la incorporación a la Comunidad Económica Europea, un sinfín de acontecimientos han jalonado su historia, y así, en ochenta años España ha experimentado más cambios que desde los albores de la Edad Moderna, en el siglo XV.

Los grandes problemas del siglo

1898, cuarto año ya de guerra con los insurgentes de Cuba y Filipinas, pero esta vez la situación empeora. El presidente de Estados Unidos, McKinley, envió un ultimátum al gobierno español: «Renuncie a toda actividad y gobierno en la isla de Cuba». Era el 20 de abril y a Sagasta, el viejo liberal, desgastado ya por tantos envites políticos, no le quedó más remedio que declarar la guerra.

Los últimos de Cuba y Filipinas: el comienzo de una crisis

En pocas semanas el desastre de la Armada española fue completo, a pesar del optimismo de algunos que pensaban que España era todavía la unión católica invencible de los tiempos del Imperio en el siglo XVI. Un cardenal afirmaba con rotundidad en una pastoral que los españoles luchaban protegidos por la bendición divina, mientras que los *marines* americanos irían «sólos y

La guerra hispano-norteamericana supuso un desgaste humano y económico imposible de soportar. España, pobre y decadente, no podía enfrentarse a los jóvenes y pujantes Estados Unidos. En esta ilustración, embarque de voluntarios para Cuba en el puerto de Barcelona.

abandonados a merced de las tempestades». Pero también el sector republicano que se expresaba en el diario *El País* escribía en febrero: «el problema no tendrá solución mientras no enviemos un ejército a los EE.UU.»

La realidad era muy dura: los buques españoles, antiguos y peor armados que los americanos, carecían de carbón y de municiones, y su tripulación no tenía un adiestramiento adecuado a los nuevos tiempos. El presupuesto apenas llegaba para poner los barcos en funcionamiento y como había declarado Cánovas: «no hay positivo y duradero poderío nacional donde existe marcada impotencia económica». El desgaste del ejército había sido muy duro en estos años de insurrección cubana cuyo líder, José Martí, muerto en 1895, consiguió movilizar una guerrilla contra la dominación española para conseguir la independencia. Los americanos, en el inicio de su expansión económica, aprovecharon la coyuntura y apoyaron decididamente a los rebeldes; después controlaron el proceso político de Cuba.

Cuba

La Marina de guerra norteamericana (en la imagen una escuadra volante en 1898) era muy superior a la española. El invento de un submarino a finales del siglo XIX, gracias a los estudios de Narcís Monturiol y a los experimentos de Isaac Peral, no contó con el apoyo definitivo de la Marina española.

Las continuas derrotas en la Guerra de Cuba provocaron un clima generalizado de desmoralización y pesimismo, que en el terreno literario dio origen a la llamada «Generación del 98». La imagen refleja la pérdida de la escuadra española en aguas de Santiago de Cuba.

El 4 de julio de 1898, 323 marinos de los 2.227 que componían la flota española murieron en combate; hubo 151 heridos y unos 1.700 prisioneros. El almirante Cervera, que la mandaba, también fue detenido tras abandonar la corbeta *María Teresa* cuando ardía por los cuatro costados. Las tropas de tierra todavía seguían combatiendo y el general Blanco pedía al ministro de la Guerra que siguiera la lucha «por el honor de las armas». Pero la situación era ya desesperada. Las ciudades de Santiago de Cuba y La Habana no podían ser defendidas. El día 16 de julio se firmó la capitulación y los norteamericanos, sin contar con las fuerzas cubanas, entraron en Santiago. Por mediación de Francia se llegó al Tratado de París, el 12 de diciembre de 1898, que confirmaba la pérdida total de las últimas colonias de América y de las islas Filipinas.

Empezaron a surgir problemas en distintos sectores de la sociedad española. Cuando una guerra se pierde comienzan a exigirse responsabilidades y, en este caso, los grupos políticos se mostraron insolidarios, como se refleja en el debate de las Cortes para autorizar al Gobierno la firma de la Paz de París; desde el conde de las Almenas en el Senado contra los mandos del ejército y la escuadra, hasta la crítica feroz de los republicanos contra los liberales.

Se había abierto sin duda una gran brecha y parecía como si el futuro estuviera sólo en manos de aquellos grupos colocados fuera del sistema político creado por Cánovas y avalado por Sagasta.

Cuba, no obstante, estaba demasiado lejos y únicamente una parte de las clases populares había experimentado en sus familias la llamada a filas. El método de reclutamiento perjudicaba a

En esta fotografía de la época, aparece el embajador en Francia, M. Julio Cambón, firmando el memorándum de ratificación del Tratado de paz de París entre España y Estados Unidos. Con él, se liquidaba de forma definitiva el Imperio colonial español.

Era práctica habitual librarse de la llamada a filas pagando cierta suma de dinero, por lo que sólo iban los más humildes. Las organizaciones obreras propiciaron una campaña en contra con el lema «o todos o ninguno», pues pensaban que la guerra acabaría si tenían que ir los hijos de los ricos.

los pobres y favorecía a los que podían pagar una cantidad para que les pasara el turno y no fueran obligados a empuñar las armas. Por ello, el desastre del 98 fue calando poco a poco en la inmensa mayoría del pueblo y se extendió el pesimismo en todos los ambientes a partir de las opiniones emitidas por los diversos sectores dirigentes de la sociedad española. Mientras tanto, *Lagartijo* toreaba el 15 de julio de 1898, en plena crisis, en la plaza de Las Ventas de Madrid con un lleno a rebosar, como si la tragedia no tuviera que ver con ellos.

Los intelectuales marcaron la pauta. Su crítica ha sido la más difundida y, en muchos casos, ha quedado como exponente de una generación literaria, la del 98, que manifestó tanto el pesimismo sobre las condiciones históricas de España como el deseo de una regeneración no concretada, pero sí expresada insistentemente, para salir de la bancarrota social, cultural, económica y política.

A Cuba, por no tener seis mil reales.

Los militares sintieron, asimismo, una profunda frustración. Atribuían su derrota a la pasividad de los políticos y a su falta de previsión para dotar un presupuesto adecuado a las necesidades de la guerra moderna. La infantería, que soportó el peso de la defensa de la isla, no se sentía derrotada sino abandonada por el miedo de unos dirigentes que firmaron una paz humillante. Pocos habían defendido en Madrid la continuidad de una guerra que resultaba suicida ante la fortaleza del ejército americano, frente al que las tropas españolas, aunque dispuestas a resistir, no contaban con el apoyo de la población cubana. Los miembros de la milicia española acentuaron a partir de entonces su animadversión hacia los políticos que, según estimaban, les habían traicionado. En las salas de oficiales, suboficiales y en las cantinas de los cuarteles anidaron al recelo y la impotencia. Al repatriarse las tropas, muchos soldados estaban enfermos, mutilados o heridos y sin ninguna perspectiva de trabajo.

Los intelectuales dedicaron numerosas páginas críticas, llenas de amargura, a la situación de la época. Los comienzos del siglo no podían ser más sombríos tras la pérdida de Cuba y Filipinas. En la foto, Miguel de Unamuno rodeado por estudiantes y amigos.

Antonio Cánovas del Castillo y Práxedes Mateo Sagasta. Aquél, conservador, ideó el sistema político de la Restauración, y éste, progresista, aceptó el turno pacífico de los partidos en el poder.

Caciques y políticos

Los políticos, a los que se atribuía gran parte de los males de España, experimentaron una fuerte convulsión tras la crisis del 98, y comenzaron a plantearse la ineficacia del sistema que habían protagonizado, desde 1876, Cánovas y Sagasta, con la alternancia en el poder del Partido Liberal Conservador y del Partido Liberal Fusionista, en unas elecciones amañadas que los caciques de cada circunscripción se encargaban de arreglar de acuerdo con el ministro de Gobernación. Desde 1890, con el sufragio universal directo, masculino y secreto, los españoles participaban en la elección de diputados a Cortes, diputados provinciales en la Diputación y concejales de los ayuntamientos. Los cargos políticos elegibles en toda España estaban constitui-

dos por 400 diputados en el Congreso, 180 senadores elegidos en elecciones de segundo grado, otros 180 senadores vitalicios, más de 1.000 diputados provinciales y entre 70.000 y 80.000 concejales. En Madrid se contaba con los caciques municipales, comarcales o provinciales, para que controlaran los comicios mediante un sistema de relaciones que les daba un poder social importante en su territorio. Con ellos colaboraba la inmensa mayoría de los funcionarios que ocupaban puestos de confianza o de libre designación, dependientes de los políticos electos, como los altos cargos de los ministerios —subsecretarios y directores generales— los gobernadores civiles, los alcaldes de grandes capitales, los presidentes de organismos importantes, etcétera.

A principios de siglo, los cafés reunían numerosas tertulias literarias y políticas. Cuenta Josep Plá: «Cada sábado, depués de cenar, Ramón Gómez de la Serna va al (café del) Pombo, lo que atrae a una banda innumerable de artistas, de literatos, de escritores jóvenes. La tertulia es abierta y generosa. No bien os habéis dado a conocer, Ramón saca un libro de oro y os hace firmar (...) Cuando la vista se acostumbre al humo del tabaco que flota en el ambiente, se tiene la sensación de que alrededor de Ramón Gómez de la Serna está toda la gente con pretensiones de Madrid que no ha cenado.»

El cacique solía ser el rico del pueblo, con influencias en Madrid que sabía utilizar a cambio del control político de su distrito. Así, obtenía favores para su comarca, por ejemplo, la construcción de un puente, una carretera, una estación de ferrocarril, o un empleo para algún miembro de su comunidad. Hombre opulento, por tanto, que frecuentaba el casino y que habitualmente no vivía de su trabajo sino de las rentas que le proporcionaban los campesinos de sus tierras. En algún caso podía ser un prestigioso abogado, financiero o comerciante que desde su despacho mantenía en la capital de la provincia unas relaciones sociales que le permitían influir en las decisiones políticas. Pero por regla general el caciquismo iba asociado a la mentalidad agraria. Los caciques eran intermediarios entre la comunidad real, el pueblo o la comarca, y las instituciones del Estado, y trataban también de mejorar su riqueza y aumentar su prestigio social.

Por todo ello no es adecuado identificar únicamente caciquismo con fraude electoral, ya que éste no era más que un *instrumento* en sus manos y no la *finalidad* de su trabajo. También uti-

lizaba la administración pública como medio de ganarse la clientela, que se ampliaba con el acceso al poder. En ocasiones el sistema estaba basado en la violencia económica, física y moral, pero en otras existía una buena integración entre el cacique y el distrito que controlaba, con un consenso tanto sobre su función como sobre su representación.

El mecanismo funcionó con peor o mejor acierto hasta principios del siglo XX, en cierto modo con un estilo parecido al de otros países europeos, como Francia o Gran Bretaña, donde la voluntad popular también estaba controlada por los partidos mayoritarios. Pero las cosas empezaron a cambiar como consecuencia de la muerte de Cánovas en 1897, y de Sagasta en 1902, de la crisis del 98 y de la presión de las fuerzas que no aceptaban el sistema o habían sido excluidas del mismo: republicanos, socialistas, anarquistas y nacionalistas catalanes. Junto a ellos, escritores como Ortega y Gasset hablaban de las diferencias entre una España oficial y una España vital; la primera incluía a los políticos que parecían vivir de espaldas a la segunda, en la que

<table>
<tr><td>Caciquismo</td></tr>
</table>

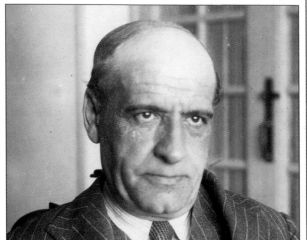

Pablo Iglesias en compañía de Fernando de los Ríos y Julián Besteiro, dos de los profesores universitarios (el primero, catedrático de la Universidad de Granada y el segundo de la de Madrid), que en los primeros años del siglo XX tomaron partido por el socialismo. Besteiro fue elegido en 1914 miembro del Comité Nacional de la UGT. A la izquierda, el filósofo Ortega y Gasset, quien abordó en muchos artículos y libros los problemas de la sociedad española.

se contaban todas las clases productivas de la sociedad y que apenas pesaban en el sistema constitucional. El rompimiento de la situación se produjo en las grandes ciudades como Madrid, Valencia, Barcelona y Bilbao, donde el caciquismo no podía controlar los votos, y resultaban elegidos diputados no institucionales. De esta manera, la conjunción republicano-socialista consiguió en 1910 superar a los candidatos oficiales, y el líder y cofundador del Partido Socialista, Pablo Iglesias, obtuvo por primera vez un escaño en el Congreso de los Diputados.

Campesinos y ciudadanos, industriales y agricultores: una economía de contrastes

El campo se mantuvo bajo el mismo esquema hasta la II República, sin que los aires de libertad de la ciudad modificasen sustancialmente sus formas de vida. Y es que la España de principios de siglo soportaba grandes contrastes.

En 1900 contaba con 18.594.000 habitantes, que diez años después serán 19.527.000. La población activa era esencialmente agraria (el 66 por 100 en 1910, y el 45,51 por 100 en 1930), pues la agricultura era la base fundamental de la economía. Se habían desarrollado núcleos de

Los jornaleros y braceros del campo ascendían a unos dos millones a principios del siglo XX, pero también solían emplearse como tales otro millón de campesinos que no podían vivir todo el año de sus parcelas. En la imagen, campesinos andaluces, vistos por Benjamín Palencia.

crecimiento industrial, pero los intereses agrarios seguían predominando, a pesar de mantener en general una rentabilidad baja. Especial peso tenían los propietarios cerealistas (de trigo principalmente), en busca de medidas proteccionistas para sus cosechas, haciendo causa común con los industriales vascos y catalanes que, reducidos a sus territorios, no podían, como en otros países europeos, protagonizar los cambios sociales y políticos necesarios para transformar España. Esto les hizo refugiarse en las reivindicaciones nacionales de Cataluña y el País Vasco.

Así, la etapa de librecambio abierta en 1869, en la que los impuestos aduaneros a los productos extranjeros apenas se vieron gravados en el mercado español, dio paso al proteccionismo que los empresarios industriales y los propietarios agrícolas trigueros reclamaban. Las medidas arancelarias de 1891, 1906 y 1922 definieron la política económica que se ha mantenido hasta prácticamente los años 80.

El número de obreros de las ciudades experimentó en esta época un fuerte crecimiento. El sector más numeroso era el de la construcción, seguido por el de la industria textil en el que abundaba la mano de obra femenina. En la imagen, un cartel de publicidad de la España Industrial.

DOMICILIO SOCIAL: PLAZA URQUINAONA, 6, Y LAURIA, 1 Y 3

FÁBRICA: SANTA MARÍA DE SANS

Direc. Teleg. y Telef.: ESPATRIAL **BARCELONA** TELÉFONO 16427

En los últimos veinte años del siglo XIX, la burguesía vasca invirtió capitales en la fundación de importantes empresas siderúrgicas que pronto utilizaron el convertidor de Bessemer, lo que posibilitó, en 1902, la creación de Altos Hornos de Vizcaya. De este modo, la producción siderúrgica se convirtió en uno de los sectores punta de la industria nacional. Sin embargo, a principios de siglo no resistió la competencia de las reconvertidas industrias inglesas y alemanas, y tuvo que apuntarse al proteccionismo. En la foto, un detalle de una fundición de Sestao en 1916.

Industria y finanzas

La industrialización no se había asentado realmente y hasta 1890 se reducía, en líneas generales, a la industria textil catalana y a la siderúrgica de asturianos y vascos. Los recursos mineros estaban controlados por compañías extranjeras, así como el ferrocarril, las empresas eléctricas (como la Barcelona Traction, llamada «La Canadiense», que abastecía a Cataluña), y los negocios fáciles y rentables como los nuevos servicios públicos de las ciudades: alcantarillado, alumbrado, tranvías o construcciones.

El cobre, el cinc, el plomo y el hierro eran los minerales que constituían la base de las exportaciones, principalmente a Inglaterra y, en segundo lugar, a Francia y Alemania. Vizcaya era el centro de la industria siderúrgica, por su proximidad al carbón asturiano y leonés, produciendo más de la mitad del total español de lingotes de hierro y acero. En 1902 se fundó Altos Hornos de Vizcaya en Bilbao, que a principios de siglo tenía 83.000 habitantes.

A partir de 1900, comenzó una etapa de lenta diversificación industrial, iniciándose el despegue de la industria ligera, naviera, eléctrica y de productos químicos. En Asturias se establecieron empresas que fabricaban el cemento Portland, así como la Unión Española de Explosivos y la Cross, que producían superfosfatos y ácido sulfúrico.

Cataluña, primera zona industrial de España, concentraba el 90 por 100 de la industria textil. Barcelona contaba en 1901 con 533.000 habitantes y con 710.000 en 1920. Sin embargo, su desarrollo se vio dificultado por el retraso en adoptar maquinaria moderna, así como por la limitación del consumo interno, el aumento de los precios de las materias primas y la competencia de fibras textiles más modernas. En torno a esta industria fueron creciendo tímidamente las de alimentación, cuero, madera, químicas y construcción, sin llegar a cuajar una industria metalúrgica.

La repatriación de los capitales españoles en América y la expansión de los negocios contribuyeron a la fundación de los grandes bancos,

Textiles y siderurgia

A principios de siglo, Cataluña concentraba la mayor parte de la industria textil española, pero las fábricas seguían teniendo un carácter eminentemente familiar, empresas medianas y pequeñas, con unos medios de producción atrasados con respecto a otros países de Europa y al amparo de la política proteccionista vigente. Se hicieron populares las colonias textiles que se instalan en los márgenes de los ríos para aprovechar la energía hidráulica, como ésta de Pobla de Lillet junto al río Llobregat, en 1910.

como el Hispano Americano en 1901 o el Banco Español de Crédito en 1902, con sede habitualmente en Madrid, que por aquel entonces no era propiamente una ciudad industrial, sino sede de la Corte y lugar de residencia de funcionarios, políticos, periodistas y escritores, con un núcleo de pequeñas empresas y de oficios artesanales.

Un mundo de campesinos en un capitalismo insuficiente

La agricultura estaba marcada por los intereses cerealísticos, que imponían medidas arancelarias para impedir la importación de trigo. La producción de este cereal aumentó gracias a la roturación de tierras de pasto, de monte y de terrenos marginales; se pasó de 3.389.000 hectáreas de tierras dedicadas al cultivo de trigo en 1905 a 4.477.000 hectáreas en 1935. Las técnicas agrícolas eran anticuadas, se utilizaban mulos y el típico arado romano, así como el tradicional barbecho, que permitía dejar de cultivar durante un año parte de la tierra para mantener así su pro-

«Familia campesina», óleo de Daniel Vázquez Díaz en 1902. Si las industrias punta del país, textiles y siderúrgicas, tenían cierto retraso con respecto a las europeas, la situación de la mayor parte del campo era lamentable. La producción agrícola estaba caracterizada por una estructura de la propiedad injusta, por una ausencia casi total de innovaciones tecnológicas y por una diversificación mínima de los cultivos.

22

ductividad. Poco a poco se fueron introduciendo el arado de vertedera, la utilización de abonos y nuevos cultivos, como los cítricos, el almendro y la remolacha azucarera.

Pero gran parte de las tierras de labranza españolas padecen condiciones climáticas adversas, con lluvias irregulares y caprichosas, y años de fuerte sequía que provocan la pérdida de las cosechas. Sólo la franja norte, la España húmeda, recibe lluvias abundantes, pero su temperatura y el tipo de suelo impiden el desarrollo de los cultivos mediterráneos típicos; gran parte del terreno ha de dedicarse a pasto para la ganadería. Sólo en la desembocadura de los ríos mediterráneos se desarrolló una agricultura de regadío próspera, cuya tradición se remontaba a la conquista musulmana. Muchos reformadores de la época vieron en la expansión de la misma la solución de los problemas del campo, al apreciarse las enormes diferencias de productividad entre las tierras con agua permanente y las de secano, dependientes de la lluvia. Así, trataron de estimular las obras hidráulicas, como los pantanos, para hacer posible que tierras secas se convirtieran en vergeles. Joaquín Costa, impulsor de esta campaña, veía en la «política hidráulica» la salvación de la economía española.

Una perspectiva aérea de principios de siglo nos ofrecería, a grandes rasgos, la panorámica que a continuación detallamos.

Atraso y proteccionismo

«Ancha es Castilla», óleo de Mariano Santamaría. Buena parte de las tierras llanas del interior peninsular estaban ocupadas por los cereales, que estaban fuertemente protegidos por medidas arancelarias que impedían su importación. Se llegaron incluso a roturar tierras de pasto y de monte, con lo que los rendimientos eran muy bajos y los precios muy altos en comparación con los otros países.

• En la zona norte (cantábrico-atlántica), por encima del río Duero, predominio de los pastos para la ganadería y productos derivados, con una estructura de la propiedad basada en el minifundio o fincas medianas.

• En Andalucía Septentrional, Extremadura, Aragón y las dos Castillas, abundancia de cereales y de leguminosas con propiedades de superficie mediana entre el Duero y el Tajo y latifundios de extensiones superiores a las 100 hectáreas más al sur.

• En ciertos enclaves andaluces, distribuidos por Jaén, Córdoba y Sevilla, extensión del olivar y de la vid (que a lo largo del siglo XIX experimentó una demanda creciente como consecuencia de la exportación de vinos), hasta que la filoxera produjo una crisis del sector entre 1892 y 1915.

• En el País Valenciano, gran desarrollo de la naranja que logra alcanzar el primer lugar de las exportaciones españolas. También el regadío valenciano y murciano proporcionaron una cantidad importante de productos hortofrutícolas.

Muelle de embarque de Barcelona en 1913 en el momento en que los emigrantes se disponen a subir a bordo de un trasatlántico rumbo a América. La posibilidad de enriquecerse favorece la emigración de españoles procedentes de las zonas rurales atrasadas.

La agricultura española de finales del siglo XIX no cubría las necesidades de la población. En las plazas de los pueblos se podía ver a muchos campesinos sin tierras; eran los jornaleros y los braceros. Ofrecían su fuerza de trabajo de sol a sol por un jornal que no les daba más que para comer lo imprescindible, llegando a padecer hambre en los años de malas cosechas. Su futuro en la vida no era muy halagüeño: procuraban que sus hijos desde los 14 años (o antes) contribuyeran también al salario familiar o emigraran, pero no era fácil encontrar en aquellos tiempos un país europeo que los acogiera. La época del desarrollo no había llegado, ni las zonas del crecimiento industrial como Cataluña o el País Vasco podían todavía absorberlos. América estaba demasiado lejos.

Los propietarios se encontraban con una mano de obra abundante que hacía todas las faenas por salarios bajos y esto era un freno para la inversión en maquinaria. En estas condiciones, la industria española no podía ampliar el mercado de sus productos a una población con escasos recursos para comprarlos, y eso, a su vez, impedía su desarrollo.

Esta situación dará lugar hasta 1936 a una agitación campesina casi permanente que se llegó a extender a los pequeños y medianos propietarios y a los arrendatarios. Estos agricultores tenían que empeñarse en muchas ocasiones con créditos que les resultaba difícil devolver, y por eso rechazaban el sistema del capitalismo industrial y el crecimiento de las ciudades. Buscaban la estabilidad social y económica, y aspiraban al mantenimiento de las viejas costumbres morales y religiosas, sin admitir las nuevas tendencias liberales en la familia y en las costumbres. De ahí que apoyaran a partidos y movimientos conservadores o a sindicatos católicos.

Escasez y estancamiento

La mujer fue incorporándose lentamente a los niveles de instrucción y oficios exclusivamente masculinos. En la enseñanza primaria, los niños y las niñas acudían casi por igual, pero no ocurría así en la secundaria. En los censos de 1910, 1920 y 1930 la población activa femenina era de un 13% de la total que trabajaba y se concentraba principalmente en los sectores de servicios. En la ilustración, mujeres en un taller de restauración de tapices, en 1904.

Por el contrario, los jornaleros de las áreas latifundistas del sur lucharían, desde el socialismo o el anarquismo, por el reparto colectivo de la tierra. Los terratenientes conservaban la psicología de la Edad Media y Moderna («el señor y el criado») y los comportamientos del régimen señorial, que parecían sobrevivir a su desaparición jurídica. Desdeñaban la inversión de capitales para la mejora de las tierras y para la modernización de los sistemas de cultivo, lo que suponía unas condiciones y unas formas de vida para los braceros aún peores que las de los pequeños y medianos propietarios, con un paro agrícola permanente que impedía el aumento de los salarios y mantenía el campo en permanente inestabilidad social y política.

En suma, la economía española del primer tercio del siglo XX presentaba las siguientes características:

- Crecimiento insuficiente de la producción y de la productividad de una agricultura con grandes carencias de mecanización y abonado.
- Capitalización deficiente de la industria textil catalana, que no actuaba como motor del desarrollo industrial.
- Medidas de protección frente al exterior que

Tarjeta de felicitación de un impresor para el año 1907. La expatriación de capitales de Cuba y Filipinas favoreció el desarrollo industrial en los inicios del siglo XX; se produjo una recuperación económica a la que vino a sumarse, también, un aumento de la población provocada por la disminución de la mortalidad. Se incrementó el consumo de energía, se consolidó la industria pesada en el País Vasco, se protegió la industria textil catalana y se redujo la deuda pública.

DESEA A V. FELIZ Y PRÓSPERO AÑO 1907.

obstaculizaban o impedían la competencia extranjera.

• Acumulación de capitales provenientes de las exportaciones de minerales, de los emigrantes españoles en América o de la repatriación de capitales que se produjo tras la pérdida de Cuba, Filipinas y Puerto Rico.

• Decadencia de la banca catalana y ascenso de los bancos de Madrid y del norte.

• Inversiones extranjeras en algunos sectores económicos fundamentales: minería, ferrocarriles, electricidad y servicios públicos.

• Dependencia del exterior de la industria española en cuanto a materias primas, equipos e innovaciones técnicas.

No obstante, el capitalismo español, con sus contradicciones y deficiencias, se consolidaría gracias a la Primera Guerra Mundial, cuando los países beligerantes europeos necesitaron bienes españoles para hacer frente a los imperativos de la guerra. Gran parte de la producción industrial, generalmente destinada al consumo interior, servirá en ese momento para la exportación, con la consiguiente elevación de los precios que actuará como una fuerza impulsora para la creación de nuevos negocios: elevación de las inver-

La neutralidad española en la Primera Guerra Mundial trajo consigo resultados muy beneficiosos para la industria. La producción española, constreñida a un mercado interior reducido y mal articulado, se dirigió a la exportación para los países beligerantes. A la postre, cuando terminó la contienda, se incrementaron las desigualdades, pues muchas empresas de nueva creación dejaron de ser competitivas, y el distanciamiento entre las zonas industriales modernas y las zonas rurales atrasadas se fue convirtiendo en un abismo. En la ilustración , un mitin en favor de la neutralidad en la guerra.

Según M. Azaña, Joaquín Costa «derrochó una fuerza enorme en mostrar cómo las cosas existentes (...) podrían ser perfectas (...) Se encolerizaba contra las resistencias naturales; hijo de su cólera, no de su pensamiento, es el "cirujano de hierro" (...) —Esperaba que de la raza española surgiese un escultor de naciones que fuese lo menos español posible... (...) Estas vacilaciones de Costa tienen por fondo su pesimismo radical y su recelo de la democracia. Participa del antidemocratismo de otros autores (...)»

siones de capital, aumento de los beneficios empresariales y desarrollo de la integración de las empresas. Entre 1916 y 1918 se produjo una gran expansión económica que estimuló la producción nacional; pero una vez llegada la paz, la economía española sufrió una profunda crisis y los propietarios exigieron una protección aún mayor para evitar la liquidación de numerosas compañías creadas en esos años.

Si todo desarrollo económico provoca desigualdades, en el caso español éstas fueron muy acentuadas. La España atrasada, con su agricultura casi de subsistencia para la inmensa mayoría de los campesinos con escasa o nula instrucción, anclada en las viejas costumbres y con folklore popular tan alabado por los escritores extranjeros que la visitaban, contrastaba con los inicios del crecimiento industrial, la modernización de las ciudades, el intento de engarzarse con las corrientes filosóficas y científicas europeas y la liberalización de las costumbres. Un ejemplo fue la penetración del fútbol, que se convirtió en una pasión popular en las principales ciudades, con la aparición de los clubs que competían en popularidad con las corridas de toros.

Todos hablan de regeneración

Se llama *regeneracionismo* a la corriente de pensamiento que en la España de finales del siglo XIX intentó impulsar la vida política y económica por otros cauces. Todo estaba «degenerado» y había que renovarlo, y tras el desastre del 98 se necesitaba un nuevo rumbo. Era la aspiración de muchos intelectuales, comerciantes, industriales y políticos.

Dentro del regeneracionismo había dos corrientes: el regeneracionismo institucional surgido del mismo régimen y protagonizado por hombres del sistema, como Silvela, Maura o Cana-

28

lejas, y otro, el de republicanos y socialistas, que se basaba en la crítica a todo el orden político y proponía su sustitución.

Una figura representativa del regeneracionismo populista fue Joaquín Costa. Escribió obras importantes (*Colectivismo agrario*, *Oligarquía y caciquismo*) en las que describía con realismo la España de principios de siglo: un régimen dominado por los oligarcas, dirigentes de los partidos, que contaban con los caciques y los gobernadores civiles para controlar las elecciones, produciendo un sistema parlamentario propenso a la corrupción y los abusos. Todo ello era causa del estancamiento económico y del atraso del país. La solución estaba en el desarrollo de la educación, la europeización, la autonomía local y la política hidráulica y forestal. Había también que restaurar la tradición española del colectivismo agrario, estimulando los bienes comunales a los que tanto habían perjudicado las desamortizaciones del siglo XIX al privatizar las tierras municipales.

Costa buscó articular un movimiento político en torno a la Unión Nacional de Productores, con un programa basado en todos los que trabajaban, entre los que incluía a los propietarios agrícolas, industriales y comerciantes que se ocupaban directamente de sus negocios. Significaba el intento de que las «clases medias» fueran la base social sobre la que se mantuviera la realidad política, marginando a los oligarcas que nada producían y al obrerismo, en manos de socialistas y anarquistas que abogaban por la eliminación de la propiedad privada. Según él, era necesario conciliar el capital y el trabajo, acabando así con la «guerra civil» entre patronos y obreros. La reforma social tenía la misión de evitar la revolución, para lo que se requería un «cirujano de hierro» que supiera conducir a la nación al progreso sin paliativos, apoyado principalmente por esa comunidad aldeana que, sin terratenientes, basa-

Residencia de Estudiantes de la Institución Libre de Enseñanza, para la que la educación debía basarse en la tolerancia y la libertad de conciencia. Rechazaba tanto la escuela confesional, por su sentido dogmático, como la escuela laica, por marginar la dimensión religiosa. Proponía una escuela neutral que creara un profundo sentido de solidaridad humana y se acercase a los problemas de la vida. Defendía también la coeducación, para que los niños de ambos sexos jugaran y estudiaran juntos.

ra su trabajo en agricultores iguales y libres, sin más divisiones que las técnicas del cultivo de los campos. La obra de Joaquín Costa está plagada de frases que parecen muy radicales, con alusiones a la moralidad («el decoro» en su terminología) de la vida política y social española.

Lucas Mallada y Ricardo Macías Picavea atacaron el mito de la riqueza de España, y destacaron la incultura y la decadencia desde la instauración de los Austrias. Picavea llegó a proponer, incluso, que las Cortes se cerraran por diez años y se instaurara un sistema basado en el corporativismo.

Gran parte del pensamiento regeneracionista se basaba en la filosofía krausista, que se había difundido a mediados del siglo XIX en algunos círculos universitarios españoles gracias a la personalidad del profesor Sanz del Río y de su principal discípulo Francisco Giner de los Ríos (1839-1915). El alemán Krause, de la escuela del filósofo Kant, hablaba de una «razón armoniosa» que corresponde a un universo presidido por un Dios que está presente en todas sus partes. Esta manera de pensar tenía repercusiones en la ética y en el derecho, dos aspectos que incidieron en la tarea de muchos profesores durante el primer tercio del siglo XX, partidarios de las reformas graduales, no violentas, de los organismos sociales. Uno de sus objetivos primordiales era la transformación de la educación española. Los krausistas crearon, en 1876, la Institución Libre de Enseñanza, que «debía consagrarse al cultivo y propagación de la ciencia en sus diversos órdenes, especialmente por medio de la enseñanza». A partir de entonces, los institucionalistas constituyeron un grupo que pugnó por la formación integral del hombre con una base científica que desarrollara la mente y el cuerpo de los niños y muchachos, respetando todas las creencias y tolerando todas las opiniones.

Regeneracionismo

A partir de 1881 la Institución Libre de Enseñanza abandonó su primitiva idea de convertirse en una Universidad y permaneció como colegio bajo la tutela pedagógica de Francisco Giner de los Ríos. En 1907, con la creación del Ministerio de Instrucción Pública, uno de los proyectos de Giner, se constituyó la Junta de Ampliación de Estudios, que canalizará una serie de iniciativas, como la Residencia de Estudiantes, el Centro de Estudios Históricos o el Instituto Escuela.

«Procesión en la aldea», de Arteta. Los prejuicios sociales y religiosos pesaban en muchos pueblos y aldeas de la sociedad española. Las mujeres no solían estudiar y estaban destinadas a casarse y ocuparse de los hijos y las faenas de la casa. No era frecuente que asistieran al casino o a la taberna con sus maridos. Su mundo quedaba reducido a la Iglesia y a las conversaciones en las casas o en los lavaderos públicos.

Los krausistas criticaban la docencia española de la época por atrasada, puramente repetitiva y dogmática. Había que establecer un plan de perfeccionamiento del profesorado y una mejora de las condiciones de trabajo del maestro que debían correr a cargo de los presupuestos del Estado y no de los municipios (como ocurría hasta la fecha), que apenas destinaban recursos a la educación primaria. También consideraban imprescindible ayudar a los niños de la clase obrera si se pretendía establecer la escolaridad obligatoria y gratuita. De esta manera se convertía en el eje central para la transformación de la sociedad española. La Administración habría de ser su principal protagonista y no las órdenes religiosas, en cuyas manos estaba casi totalmente la formación de las élites a través del control de la etapa secundaria. Durante la II República, la Institución Libre de Enseñanza tuvo ocasión de extender, desde el Gobierno, sus ideas; su influencia se extendió a lo largo de todo el siglo XX.

Clericalismo y anticlericalismo

Desde principios del siglo XIX era patente el enfrentamiento de la sociedad contra el clero y su aparato de poder e influencia. En la redacción de las constituciones se discutía sobre la oportunidad de recoger explícitamente el carácter católico de España y tuvo que llegar la revolución de 1868 para aprobar la libertad de otros cultos. Las guerras carlistas formaron también parte de la lucha por la permisividad —o negación— de conciencia y culto. Más de 100.000 sacerdotes y unos 500.000 religiosos, constituían la base social de la Iglesia española.

En las grandes ciudades como Madrid, Barcelona o Valencia fue donde más se desarrolló el movimiento anticlerical, que veía en la historia de la Iglesia católica española el foco más importante del atraso intelectual y social del país. Republicanos, socialistas y anarquistas, junto con algunos liberales, rechazaban el clericalismo reinante en muchas capas sociales; esto constituyó hasta la Guerra Civil uno de los motivos de división entre las clases medias. La mayoría de los obreros afiliados a los sindicatos repudiaban el papel del clero como guía del comportamiento familiar y social; no rechazaban las ideas religiosas predicadas por los evangelios, sino al clero que respaldaba la injusticia social.

La Iglesia trató de reaccionar contra los hechos procurando penetrar en las clases populares y reforzando el catolicismo en las clases dirigentes. Existían asimismo grupos sociales, como los llamados integristas de la Unión Católica de Pidal, partidarios de impedir la libertad de ideas consideradas contrarias al dogma, y, por tanto, virulentamente enfrentados al liberalismo ideológico. Esta actitud se mantuvo en muchos sectores educativos a través, por ejemplo, del aprendizaje del catecismo, que ante la cuestión «¿puede un católico ser liberal?» respondía siempre negativamente.

Anticlericalismo

Sátira anticarlista de la revista «La Flaca». El carlismo, en la primera mitad del siglo XX, es sinónimo de integrismo católico y antiliberalismo, lo que le hace aliado de los movimientos antidemocráticos. Con la reivindicación de los antiguos fueros defiende una sociedad rural que está ya en declive ante la dinámica de las fuerzas económicas modernas que desarrollan las ciudades y la centralización del Estado.

Anticlericalismo

La Iglesia buscaba influir sobre los obreros y los jóvenes. Algunos clérigos se dedicaron a ese apostolado con el fin de captar para el cristianismo el espacio que, con éxito, ocupaban socialistas y anarquistas. Era el catolicismo social. Así, el padre Manjón fundó las escuelas del Ave María para los niños y niñas pobres de Granada, con el propósito de impartir una educación global y religiosa a los marginados. De igual manera, el

Esta novela de Leopoldo Alas, *Clarín,* es un buen reflejo de la sociedad española de finales del siglo XIX (1885) en una ciudad provinciana, «Vetusta», que tiene muchas semejanzas con Oviedo, de donde era el autor. El poder de la Iglesia se mezcla con unas costumbres que imponen la represión a la libre expresión de los deseos de unos personajes encerrados en un mundo rutinario dominado por el casino de los altos funcionarios y propietarios, los rumores de sus mujeres y la influencia de la aristocracia del clero, como son los canónigos de la Catedral.

padre Vicent, alcoyano, intentó organizar, entre 1880 y 1893, un sindicalismo católico en competencia con los revolucionarios. Los «Círculos Católicos» fundados por él agrupaban a socios numerarios (los obreros) y a socios protectores (los patronos), mientras que el Patronato de la Juventud Obrera se preocupaba de la formación de los jóvenes. El movimiento apenas contó con seguidores, salvo algunos pequeños núcleos de Valencia, Tarragona y Murcia.

Mítines, folletos, periódicos y novelas como *La Regenta* de *Clarín*, contribuyeron a la campaña anticlerical que formaría parte de la vida social española durante gran parte del siglo XX. Una de las publicaciones dedicadas íntegramente a esta causa fue *El Motín,* que se editó entre 1881 y 1926, fundada por el sevillano José Tomás Nakens Pérez. *Electra* de Benito Pérez Galdós, aparecida en 1901, constituyó otro documento de la pasión anticlerical de la época.

La cultura: entre las élites y el analfabetismo

España no realizó grandes aportaciones a la revolución científico-técnica. Entre los escasos científicos de talla internacional destacó la personalidad del médico Santiago Ramón y Cajal, que recibió el Premio Nobel por sus investigaciones sobre el sistema nervioso; Ignacio Barraquer, iniciador de toda una generación dedicada al estudio de los problemas de la vista, y Juan de la Cierva, inventor del autogiro. Algunas otras individualidades brillantes lograron éxitos de talla en la ciencia y la técnica.

La Universidad carecía de estructuras y de recursos para hacer frente a una investigación rigurosa. En 1914, el número de estudiantes universitarios llegó a 20.000 en las Facultades, mientras que en las Escuelas Técnicas no sobrepasa-

Anticlericalismo

García Lorca, poeta y dramaturgo, nació en un año fatídico para la historia de España, 1898, y murió fusilado en otro especialmente significativo también, 1936. Sus *Canciones, Poemas del cante jondo, Romancero gitano,* o sus obras *La casa de Bernarda Alba, Yerma, Bodas de Sangre...* son ya piezas clásicas de la literatura española. Combinan el vanguardismo con el populismo dando como resultado una poesía sentida y comprendida por muchos sectores sociales. Aquí vemos un dibujo suyo para una portada de la revista *Litoral.*

Ramón y Cajal (1852-1934) es un ejemplo de tesón personal y a la vez exponente de la imposibilidad de desarrollo de la ciencia en España. Realizó una de las mayores contribuciones a la neurología moderna en condiciones de aislamiento y precariedad de medios científicos. Sin laboratorios suficientemente dotados ni apoyos económicos, trabajó en solitario y, curiosamente, su figura pudo servir como coartada para justificar que era factible, con esfuerzo, la investigación en las universidades españolas de su tiempo.

ron los 4.000. En los Institutos de Segunda Enseñanza la cifra era de 52.000. Los 26.500 maestros resultaban escasos para atender a una población que, según el censo de 1920, todavía tenía un 52,23 por 100 de analfabetos.

Sin embargo, un número considerable de ensayistas, historiadores, novelistas, pintores, poetas, filósofos proporcionaron a la cultura española una notable altura. Entre ellos, la llamada Generación del 98, formada por escritores como Unamuno, Pío Baroja, Valle Inclán, Azorín, Ramiro de Maeztu, Antonio Machado; agrupados por sus posiciones críticas en torno al año de la derrota, trataron de profundizar en los problemas de la sociedad, aunque cada uno de ellos adoptase una actitud personal y diferente.

A partir de 1914 despuntaron intelectuales como José Ortega y Gasset, el más conocido y divulgado de los escritores españoles del primer tercio del siglo XX. Estudió en Alemania y escribió numerosos artículos, ensayos y libros sobre temas diversos que le dispersarían a la hora de elaborar una teoría filosófica propia. Fue más bien

un insinuador de muchas cuestiones, con una prosa brillante y clara. Coetáneos suyos fueron: Eugenio D'Ors, que pretendió construir una filosofía de la cultura y el arte; el médico Gregorio Marañón, que dedicó una parte de su obra a la interpretación psicológica de personajes históricos: Enrique IV de Castilla, el conde-duque de Olivares, Antonio Pérez, Luis Vives; Salvador de Madariaga, ensayista e historiador de la aportación española en América; Julio Casares, filólogo y crítico literario; Américo Castro, que con su obra *La realidad histórica de España* polemizó con el historiador Claudio Sánchez Albornoz, autor de *España, un enigma histórico;* Menéndez Pidal, que aportó múltiples trabajos de filología; Manuel Azaña, ensayista e historiador, que llegó a ser presidente de la II República.

Poetas como Federico García Lorca, Juan Ramón Jiménez, Rafael Alberti, Miguel Hernández, Vicente Aleixandre, Dámaso Alonso, Pedro Salinas, Luis Cernuda, Jorge Guillén o Gerardo Diego dieron lugar a una nueva Edad de Oro de la lírica española. Entre los novelistas merecen ser citados Ramón Pérez de Ayala, Concha Espina, Ricardo León, Gabriel Miró, Ramón J. Sender y Max Aub. En el teatro sobresalió Jacinto Benavente, que recibió el Premio Nobel de Literatura, al igual que Juan Ramón Jiménez y

Baroja en la novela, Cernuda en la poesía y Benavente en el teatro, son tres representantes cualificados de la creación literaria española, que adquiere en el primer tercio del siglo XX una dimensión universal, desde la Generación del 98 a la del 14 y la del 27; contribuyen a lo que ha sido denominado «edad de plata» de la lírica española en comparación con el «Siglo de oro», llegando a recibir el Premio Nobel de literatura José de Echegaray, Jacinto Benavente, Juan Ramón Jiménez y Vicente Aleixandre.

«Pescadores va-
lencianos», por
Sorolla. Blasco
Ibáñez y Joaquín
Sorolla, influidos
por el impresionis-
mo, captaron as-
pectos de la socie-
dad valenciana de
principios de siglo.
Fruto de su amis-
tad y mutua admi-
ración son los tra-
bajos en que uno
con sus novelas y
el otro con sus
cuadros intentan
plasmar, como si
de instantáneas se
tratase, la realidad
social de su época.
Este paralelismo
en las obras de am-
bos resulta bien
evidente entre la
novela *Flor de
Mayo* y el lienzo
*Aún dicen que el
pescado es caro*,
uno de los muchos
que realizó sobre
el tema del mar y
sus hombres.

más recientemente Aleixandre. Una gran popularidad adquirieron los sainetes de los hermanos
Alvarez Quintero, que reproducían el ambiente
costumbrista de la España de principios de siglo.

En música la aportación fue igualmente destacada. Se creó la Sociedad Filarmónica de Bilbao y el «Orfeó Català» a finales del XIX. Isaac
Albéniz compuso el poema sinfónico *Cataluña* y viajó por Europa como concertista. Enrique
Granados escribió óperas y poemas sinfónicos.
Manuel de Falla alcanzó fama mundial con obras
como *El amor brujo* o *El sombrero de tres picos*.
También cabe citar al alicantino Oscar Esplá, al
valenciano Joaquín Rodrigo y al catalán Federico Mompou. La zarzuela siguió teniendo vigen-
cia a principios de siglo, con figuras como Chue-
ca, Chapí y Vives.

En pintura sobresalen, entre otros, Joaquín Sorolla y Santiago Rusiñol, gran paisajista. Ramón
Casas, dibujante de retratos al carboncillo, realizó cuadros históricos testimoniales como *La Carga*, inspirado en la situación social de Barcelona
en 1909. Ignacio Zuloaga captó el paisaje caste-
llano. José Gutiérrez Solana fue un artista ex-

presionista. Julio Romero de Torres pintó lienzos costumbristas sobre su Córdoba nativa. Daniel Vázquez Díaz hizo retratos de los más importantes intelectuales de la época. En escultura los más renombrados fueron Mariano Benlliure y José Llimona.

Florián Rey con su película *La aldea maldita* (1928), Benito Perojo y Luis Buñuel con *Tierra sin pan,* contribuyeron entre otros a poner los cimientos del cine español.

La prensa y las revistas se convirtieron en medios de difusión de ideas, de iniciativas y de análisis sobre la realidad española. En 1900 se editaban 1.136 periódicos y revistas, entre los que destacaban la *Revista de Occidente* y los diarios *El Imparcial, ABC, El Debate, La Voz* y *El Sol.* Las publicaciones obreras experimentaron, igualmente, un gran crecimiento, como *El Socialista,* semanario primero y luego diario, donde colaboraron Julián Besteiro, Luis Araquistain, Fernando de los Ríos o García Quejido. Desde los medios anarquistas vieron la luz *La Revista Blanca,* dirigida por Federico Urales, *Solidaridad Obrera,* órgano de la CNT, y *Tierra y Libertad,* donde escribían los principales teóricos del movimiento libertario.

Pero España es un país pluricultural y en la segunda mitad del XIX se produce el renacimiento literario de otras lenguas distintas a la castellana. Tal ocurrió con el gallego, el vasco y el catalán. El nacionalismo catalán adquiría las cotas más altas y así se habla de la generación de 1901, cuya figura más representativa fue Joan Maragall, que escribió un largo poema, *Cant d'Espanya,* en el que de forma opuesta a la generación del 98, veía el porvenir con optimismo. Son también dignos de mención Costa y Llobera, Joan Alcover y Josep Carner. En Barcelona se desarrolló un estilo propio, el Modernismo, y se rea-

Segunda Edad de Oro

Joan Maragall (1860-1911) fue, como muchos catalanes, un escritor bilingüe. Creía que la poesía lírica sólo podía expresarse en la lengua materna y en ella publicó varios libros: *Poesies, Les disperses, Tria, Visions i cants,* entre otros, donde los temas del amor, la naturaleza, la vida ciudadana y las leyendas históricas de Cataluña se entremezclan para proporcionar una de las mejores obras poéticas escritas en catalán. Su crítica contra el sistema público de la Restauración, a raíz del desastre del 98, le llevó a proponer un regionalismo como camino de conseguir la regeneración de España.

La ciudad va a ser la gran protagonista del siglo XX, como fenómeno económico y demográfico, y también como objeto artístico: planes de urbanismo, racionalización de los planos, búsqueda de espacios más humanos. Aquí aparece la Casa Milá de Barcelona, exponente fiel del modernismo ondulante de Gaudí.

lizó la organización urbanística del Ensanche. El artífice de esta tendencia fue el arquitecto Antonio Gaudí que, con casas como la de Milà y Batlló, el parque Güell y el proyecto del templo de la Sagrada Familia, dio una marcada personalidad a la ciudad.

En Galicia, después de Rosalía de Castro, hay que hacer mención de Eduardo Pondal, Manuel Curros Enríquez, Cabanillas, Noriega y Taibo, Manuel Antonio y Eduardo Blanco Amor.

En conjunto, con todos estos nombres y algunos más, España contó con intelectuales importantes que comenzaban a intercambiar ideas y experiencias con otros países europeos. Aunque es verdad que la gran masa de campesinos, obreros de la ciudad, funcionarios civiles, militares, clases medias, burgueses o latifundistas apenas recibían su influencia, bien por su escasa preparación, unos, bien por indiferencia y poca sensi-

bilidad ante las corrientes culturales modernas, otros. Ni burgueses ni aristócratas mostraban un apoyo decidido a las nuevas tendencias, tal vez con la excepción de cierta parte de la burguesía catalana que se identificaba con el renacimiento del catalanismo cultural.

La separación entre el trabajo de estos intelectuales y gran parte de la población era una realidad. La lectura de folletines o alguna que otra revista o periódico era casi la única fuente de transmisión de ideas, modas o sentimientos. Pero aun así España, como otras zonas europeas, estaba preparada, sin duda, para el despegue de la difusión de los más diversos y modernos conocimientos a amplias capas de la sociedad, que llegaron tal vez con décadas de retraso respecto a otros países. En esto, como en tantas otras cosas, la Guerra Civil y los años posteriores significaron un corte radical en la evolución intelectual del país.

Bar modernista de Barcelona de los años treinta. Decía Josep Plá en 1921: «Barcelona ha sido una ciudad comercial del litoral. Madrid ha sido una ciudad cortesana y burocrática situada en la meseta.

2

Aquellos políticos en sus viejos sistemas (1902-1923)

En mayo de 1902, el hijo póstumo de Alfonso XII alcanzó la mayoría de edad. A los 16 años se convirtió en rey constitucional, mientras que su madre, María Cristina, abandonaba la regencia que ostentaba desde la muerte de su esposo en 1885. El joven monarca, siguiendo la tónica de los tiempos tras la crisis del 98, parecía tener ganas de regenerar la vida española. No se limitó a ser el punto de referencia neutral de las fuerzas políticas. La Constitución de 1876 le daba un cierto poder al ser él quien designaba al primer ministro.

Treinta y dos gobiernos se sucedieron desde 1902 a 1923, aunque sólo con 16 jefes de Gobierno. Todo giraba sobre unos personajes que se sustituían entre sí como en una ruleta: Villaverde, Montero Ríos, Moret, Maura, López Do-

Una de las figuras más controvertidas de todo el período fue el rey, quien ya lo era desde antes de nacer. Se admite que su educación no fue la más adecuada para la tarea que iba a desempeñar. Tenía una personalidad atractiva, abierta y campechana. Algunos le han tachado de frívolo y superficial. Cambó dijo de él que era profundamente desgraciado. Tuvo sin duda que sufrir bastante en aquella España que no acababa de tener un régimen político estable y con enfrentamientos permanentes que no propiciaban la integración de todos los ciudadanos.

mínguez, Romanones, Canalejas, Dato, Sánchez Guerra, García Prieto fueron tal vez los nombres más conocidos. Muchos gabinetes, muchos cambios de ministros, pero siempre aparecían los mismos apellidos. Hasta cierto punto era normal; constituían la clase política de su época, sin apenas renovación.

Al principio el liderazgo estuvo más claro: Maura era el líder de los conservadores y Canalejas de los liberales. Pero más tarde, ni unos ni otros podían ya mantener la unidad de sus partidos, ni el turno pacífico que tan buen resultado les había dado a Cánovas y a Sagasta. El caciquismo ya no servía y los propios políticos del régimen lo consideraban deshonesto y poco adecuado para una verdadera democracia. Incluso querían dar cabida a socialistas y republicanos, tal como propiciaba Canalejas y algunos liberales, en la línea de sus homólogos ingleses de aquella época, que estaban dispuestos a colaborar con los

Maura y Canalejas

El conde de Romanones y José Sánchez Guerra, dos representantes de esa clase política que se iba turnando ininterrumpidamente durante el reinado de Alfonso XIII. Romanones, de todas formas, llevó a cabo algunas reformas importantes: los maestros de primera enseñanza pasaron a ser funcionarios públicos y, en 1916, propició la jornada laboral de ocho horas.

Anarquistas y socialistas celebraron el 1 de Mayo (en recuerdo de los huelguistas ejecutados en EE. UU. en 1889, conocidos como los «martires de Chicago») desde finales del siglo XIX en las principales ciudades españolas con manifestaciones reivindicativas de mejores condiciones de trabajo.

laboristas (los socialistas británicos): «Yo solicito [decía en un discurso en 1902] el concurso de los republicanos, de los socialistas y de los demócratas españoles».

Todo era inútil: la España rural seguía manteniendo su control y la España industrial y urbana pujaba por abrirse camino en un régimen carente de credibilidad. Parecía la representación teatral de una clase dirigente que apenas sabía mostrar opciones alternativas. En la práctica, en cambio, existían diferencias cualitativas de importancia (política, religiosa, social e internacional), pero la apariencia era muy otra porque la situación parecía estar anclada en un funcionamiento que nadie podía alterar.

A la dinámica económica, social y política de aquellos años los hombres de la monarquía constitucional, surgida en 1876, no supieron —o no pudieron— darle las soluciones adecuadas, ampliando la base social y estableciendo las reformas necesarias, aunque en algunos casos lo in-

tentaran. Obreros, jornaleros, braceros, pequeños campesinos, pequeña burguesía y funcionarios se situaron cada vez en mayor proporción
al margen del sistema.

Los 21 años de crisis política y social que trans-
curren entre 1902 y 1923 se pueden fragmen-
tar en tres etapas: 1902-09, 1910-13 y 1914-23.

● **La crisis entre 1902 y 1909: catalanismo,
revolución desde arriba y represión**
Todavía le quedaban fuerzas a Sagasta, el viejo
líder liberal, y presidió durante unos meses el primer Gobierno del nuevo monarca (moriría aquel
mismo año). Después, entre Silvela y Maura, por
los conservadores, y Montero Ríos y Moret, por
los liberales, protagonizaron la política los años
siguientes con un indudable deseo de renovación
de la sociedad española.

Moret era catedrático de Derecho, miembro
de la Institución Libre de Enseñanza y fundador
en 1883 del Instituto de Reformas Sociales, cuyo objetivo era estudiar y promover las reformas
adecuadas a los problemas sociales, asesorando
al Gobierno; estaba constituido por doce miembros electos, de los cuales seis eran trabajadores, normalmente socialistas. Con ese espíritu
pensaba atraerse a los demócratas y republicanos; pero el ambiente se enrareció cuando la revista catalana *Cut-Cut* insertó un chiste que algunos oficiales consideraron vejatorio para el Ejército y asaltaron la redacción de la misma, quemando
do muebles y enseres, extendiendo su acción a *La
Veu de Catalunya,* a la que consideraban contra-
ria a la unidad de España.

Ante los acontecimientos tuvo que proponer
a las Cortes la Ley de Jurisdicciones (1906), que
daba al Ejército la potestad de juzgar determina-
dos delitos contra la dignidad de la patria, sus
emblemas y las instituciones militares.

Segismundo Moret.
Abogado, catedráti-
co, economista y
político liberal, fue
Presidente de las
Cortes en 1901, y
Primer Ministro en
1905 y 1906. Tras
la Semana Trágica,
encabezó la oposi-
ción a Maura. Inten-
tó una coalición en-
tre liberales, refor-
mistas, progresistas
e incluso republica-
nos.

45

JOCHS FLORALS DE BARCELONA

MAIG 1908

FESTES DEL CINQVANTENARI

La Renaixença fue un movimiento de carácter cultural promovido por una minoría de investigadores y poetas que deseaban recuperar las raíces propias de su pueblo, revitalizando el catalán. Su institución más importante fueron los «Juegos florales», que permitieron la estabilización y regularización de la vida literaria.

El catalanismo se convierte en movimiento político

En Cataluña las cosas eran diferentes. El sistema caciquil fue roto por las fuerzas políticas que formaron la Lliga Regionalista, triunfando en las elecciones municipales de 1905. El año siguiente y ante un cierto sentimiento de persecución por los políticos de Madrid, se creó Solidaritat Catalana, donde confluyeron grupos republicanos, liberales y conservadores; consiguieron, en los comicios de 1907, 41 de los 44 escaños catalanes. La figura de Cambó comenzó a destacar en la política española.

El movimiento nacionalista catalán tenía ya algunos años. La industrialización y el romanticismo propiciaron el reconocimiento de que el Principado tenía una personalidad propia, con su lengua y su cultura vivas. La burguesía, primero, y las clases populares, después, reivindicaron la autonomía. Ya en 1885, ante una visita del rey Alfonso XII, se le entregó un «Memorial en defensa de los intereses morales y materiales de Cataluña», que criticaba la centralización política y defendía el derecho civil catalán.

Más radicales resultaron las llamadas «Bases de Manresa» (1892) que pedían ya claramente el establecimiento de unas Cortes propias, la declaración del catalán como lengua oficial, un Tribunal Supremo y la capacidad legislativa civil y penal. Todo ello fue argumentado y defendido por Prat de la Riba, ideólogo pionero del catalanismo político. Condensó su pensamiento en la obra *La nacionalitat catalana* (1906) y consiguió, años más tarde, hacer realidad el proyecto de la Mancomunidad (1913), con la fusión de las cuatro diputaciones, claro antecedente de la Generalitat republicana.

Se desarrolló además un amplio movimiento cultural que comenzó con la Renaixença del si-

Francesc Cambó. Abogado, periodista, político y financiero. Militó en la Lliga Regionalista y fue elegido concejal, diputado y jefe de la minoría catalana en las Cortes.

glo XIX, dándole al catalán una base literaria moderna. Pero pronto perdió el carácter unitario. A los conservadores de la Lliga le surgieron competidores menos partidarios de pactar con los gobernantes madrileños. Se iniciaba así un catalanismo republicano de izquierdas, que no correspondía ya a los intereses de los burgueses industriales.

Existió, por otra parte, una reacción contra el mismo, a causa del republicanismo popular propugnado por Alejandro Lerroux, cuya oratoria grandilocuente y demagógica consiguió cierto éxito entre los obreros y los pequeños propietarios de Barcelona y de otros núcleos industriales. Tildaba al catalanismo de burgués y reaccionario.

Alejandro Lerroux, periodista y político. Primero fundó la Unión Republicana y después el Partido Radical, en 1911, y colaboro en la formación de la Alianza Republicana, en 1926. En otra imagen, «La carga de la Guardia Civil», cuadro de Ramón Casas que resume la política de Maura de mantenimiento del orden público.

La revolución desde arriba

El conservador Antonio Maura quiso encauzar la vida política española por caminos de normalidad y reforma. Mallorquín y abogado de profesión, fue varias veces ministro. Aunque había sido liberal, se hizo conservador y se convirtió en líder del partido al morir Silvela. Creía que la sociedad necesitaba cambios en sus instituciones y solía decir que había que hacer la revolución desde arriba, porque si no la harían desde abajo. Por ello consideraba fundamental cortar de raíz el caciquismo y estaba dispuesto a legislar lo necesario para conseguirlo.

En sus casi dos años de gobierno logró hacer promulgar leyes de fomento de industrias, de comunicaciones marítimas y de colonización inte-

Discurso de Antonio Maura en un mitin de las derechas. Fue Primer Ministro en 1903 y 1907. Reformó la Ley Electoral y la Administración Local para incrementar la participación electoral y abolir el caciquismo.

Campamento del Regimiento del Rey en Melilla. La crisis de Marruecos provocó protestas civiles y militares. Las reivindicaciones de los oficiales a través de las Juntas de Defensa se extendieron a los sargentos, que también constituyeron las suyas; en algún caso incluso contactaron con los socialistas.

rior; y así se aprobaron el Instituto Nacional de Previsión, los Tribunales Industriales, el descanso dominical y la Ley Electoral de 1907, que introducía la regulación de las Juntas del censo electoral. También presentó su «Ley de Bases para la Administración Local» que no llegó a votarse y en la que ampliaba la autonomía municipal y daba cauce a las Mancomunidades, con amplias facultades para el autogobierno. Era el resultado de la colaboración de Cambó. Sin embargo, la Ley del Terrorismo contó con la oposición de los liberales y de la izquierda. Para Maura mantener el orden era un elemento irrenunciable de cualquier gobernante, lo que lo conectaba directamente con la actitud conservadora. Tuvo ocasión de probarlo en los acontecimientos de 1909.

La crisis de Marruecos y la Semana Trágica

España ostentaba la soberanía, desde hacía siglos, de dos ciudades en el norte de Africa (Ceuta y Melilla), mientras que Marruecos era, teórica-

mente, un sultanato de 447.000 km² incapaz de mantener su independencia ante la presión de potencias como Francia, Inglaterra o Alemania, ávidas de acrecentar sus posesiones coloniales. Se decidió extender la «protección» sobre Marruecos (se hablaba de «el protectorado») y en 1906, en la Conferencia Internacional de Algeciras, se acordó el derecho español a una parte de este territorio que por el norte se extendía desde Muluya y el Lucus hasta el paralelo 35° y el Atlántico, y por el sur desde el Vad Arad hasta el paralelo 37° 40'. Tánger se internacionalizó y se convirtió en centro de inversiones extranjeras. Un jalifa representaría al sultán y ejercería la autoridad nominal en Tetuán, mientras que España tendría como delegado un Alto Comisario.

El ejército tuvo que actuar en diversas ocasiones en Melilla, frente a los ataques de patrullas rifeñas que querían impedir la construcción de un ferrocarril minero. Ante los acontecimientos, Maura llamó a filas a 40.000 reservistas, lo que

<table>
<tr><td>Marruecos</td></tr>
</table>

Barricadas en la Semana Trágica de Barcelona. Un comité constituido por miembros de Solidaridad Obrera y socialistas convocó una huelga general de 24 horas en protesta contra la guerra de Marruecos; pero los disparos de la guardia de seguridad desencadenaron una semana de insurrección y violencia.

hizo estallar en Barcelona una semana de protesta continua del 26 al 30 de julio. Empezó con una huelga general que se extendió por Sabadell, Manresa, Granollers, Mataró y otras localidades.

Mientras, llegaron noticias de que en el barranco del Lobo, el 27 de julio de 1909, perdieron la vida en una emboscada 21 jefes y oficiales y 150 soldados, según los datos oficiales. El capitán general tomó el mando de la situación y sacó a sus hombres a la calle. El público gritaba: «¡Viva el ejército! ¡Abajo la guerra!» Pronto aparecieron las barricadas y en los suburbios ardieron conventos. Las tropas, que al principio estaban expectantes, intervinieron y se cruzaron los

Ficha policial de Francisco Ferrer Guardia (12.6.1906), con el añadido «Fusilado», en 1909. Pedagogo y revolucionario, fundó las «Escuelas Modernas». Acusado de complicidad en el atentado a Alfonso XIII el día de su boda, fue absuelto; pero tras los sucesos de la Semana Trágica fue juzgado como instigador y fusilado. La sentencia no sólo conmovió a los españoles, sino que la opinión pública internacional se movilizó pidiendo clemencia.

primeros disparos. De la huelga se pasó a la violencia y al motín.

Solidaridad Obrera, que había nacido como respuesta proletaria a Solidaritat Catalana, y el Partido Radical de Lerroux controlaron al principio la situación, pero ésta acabó desbordándoles y estalló la insurrección, causando numerosos muertos y heridos. Fue una sublevación espontánea e incontrolada al final. Ante el rechazo a incorporarse a filas para ir a una guerra impopular, salieron a la luz las condiciones de vida de las familias obreras que no podían desprenderse de nadie si querían mantener un nivel mínimo de salarios para alimentarse.

Un tribunal militar consideró a Ferrer Guardia el instigador. Era un libertario que había fundado la Escuela Moderna, centro de enseñanza laica y racionalista, con el objetivo de conseguir un hombre nuevo para el futuro y romper con la educación tradicional. Su proceso no tuvo todas las garantías jurídicas ni se vio con detenimiento. Se le condenó a muerte y fue ejecutado el 13 de octubre de 1909, en medio de una gran

La Semana Trágica

Manifestación en Madrid contra el gobierno de Maura en noviembre de 1909. Los sucesos de Barcelona provocaron la protesta contra Maura y su posterior caída, pero también la alianza de los socialistas con los republicanos.

protesta nacional e internacional que aisló al régimen de Alfonso XIII.

Republicanos, socialistas y anarquistas, con el apoyo de los liberales, acusaron a Maura de no impedir la ejecución de Ferrer y se lanzaron a una campaña contra el jefe de Gobierno. La opinión pública se dividió con los gritos de «¡Maura, sí!», «¡Maura, no!». Cuando el 15 de octubre se reabrieron las Cortes, Moret, el líder liberal, pidió su dimisión, y aunque contaba con el respaldo de su partido y de otros grupos de derechas, el rey no le renovó la confianza. Dolido, renunció al acta de diputado y se retiró. Volvería de nuevo a presidir gobiernos de concentración de todas las fuerzas políticas del régimen, años más tarde, en una situación crítica para el sistema monárquico.

● La crisis entre 1910 y 1913: el intento de reforma liberal

Si Maura representaba el regeneracionismo conservador, Canalejas se convirtió en la alternativa liberal. Abogado, orador elocuente y humanista, antes de dedicarse a la política activa perdió unas oposiciones a la cátedra de Literatura frente a Menéndez y Pelayo.

Quiso poner en práctica un programa político progresista. «No he venido a ocupar la presidencia del Consejo», manifestó, «he venido a ejercerla». Fue, sin duda, la figura democrática de la Monarquía.

Su labor más destacada se concretó en la Ley de Asociaciones Religiosas (la llamada «ley del candado») aprobada en diciembre de 1910. Consistía en limitar durante dos años el establecimiento de nuevas órdenes religiosas sin la autorización del Gobierno, pues tras la ola anticlerical en Europa muchas emigraron a España. Se intentaba entablar nuevas relaciones con el Vaticano,

José Canalejas (1854-1912), político liberal demócrata, fue Presidente en 1910 e impulsó la «ley del candado» que recortaba el poder de la Iglesia. De él diría el conde de Romanones: «La personalidad de Canalejas le dio una superioridad tan manifiesta que la esperanza de sucederle era un sueño».

pues éstas seguían rigiéndose por el Concordato de 1851. En él se disponía que el Estado corriera con los gastos de tres órdenes religiosas: la de San Vicente de Paul, San Felipe Neri y una tercera que no llegó a especificarse. Algunos gobiernos habían procurado, sin éxito, que se inscribieran en la Ley de Asociaciones para que pudieran valorarse sus propiedades y, de esa manera, poder exigir el pago de los impuestos. Se quería que el Vaticano decidiera la tercera orden a subvencionar y que el resto se inscribieran como asociaciones particulares. Pero lo que realmente estaba en discusión era la rivalidad por el control de la enseñanza media entre el Estado y la Iglesia.

Canalejas abordó también la cuestión de Marruecos en el momento en que los franceses tomaban Fez. Ordenó la ocupación de Larache, Alcázar y Arcila. Abolió la redención en metálico mediante la cual los que tenían recursos podían librarse del servicio militar a cambio del pago de unos miles de pesetas. Pero estableció los soldados de cuota que, por la suma de mil pesetas y la compra del equipo, reducían el servicio a diez meses.

Dio salida al proyecto de Maura de las Mancomunidades provinciales, venciendo la resistencia centralista de su partido. Una vez votado en el Congreso, el proyecto se remitió al Senado, pero Canalejas moriría el 12 de noviembre de 1912, asesinado por el anarquista Manuel Pardiñas mientras miraba el escaparate de una librería de la Puerta del Sol, con lo que se frustró la regeneración del sistema.

Le sucedió Romanones, que tuvo problemas con su partido precisamente por el polémico asunto de las Mancomunidades, y el rey llamó de nuevo a los conservadores, pero no a Maura, sino a Dato.

55

Socialistas y anarquistas: la pugna por el porvenir del movimiento obrero

Desde 1870 la I Internacional había propiciado la organización de núcleos obreros en las principales ciudades y centros industriales. La división entre Marx y Bakunin afectó también a España. La Federación de la Internacional estuvo en su mayor parte controlada por anarquistas, comunistas libertarios o libertarios únicamente, que así solían denominarse indistintamente, es decir, aquellos que partían del rechazo al Estado y de la repulsa a los políticos y sus prácticas. Ello condicionó la evolución de las organizaciones obreras. El socialismo se abrió paso lentamente a partir de un grupo encabezado por Pablo Iglesias, que fundó el PSOE en 1879 y, años más tarde,

Anagrama del PSOE y fotografía de Pablo Iglesias (1850-1925). Tipógrafo, nacido en El Ferrol, enemigo declarado de la violencia, fundó el Partido Socialista Obrero Español, PSOE (1879) y la Unión General de Trabajadores, UGT (1888), rama sindical del anterior. Asimismo, fue fundador del periódico *El Socialista* (1885). Fue el primer diputado socialista, en 1910.

en 1888, la UGT. Intentaban compatibilizar la teoría marxista con el pragmatismo de la acción escalonada, gradual, posibilista, para hacer crecer la fuerza del partido y de su sindicato.

Todos ellos creían que en un momento determinado de la historia, los medios de producción serían colectivizados y se acabaría la explotación del hombre por el hombre. La diferencia estaba en los procedimientos y en el resultado final. El anarquismo estuvo presente en las sublevaciones campesinas de finales del siglo XIX, apoyando y difundiendo el «ideal» de una tierra sin propietarios, pero no consiguió una influencia permanente hasta la creación de la CNT en 1911. Desde la fundación de Solidaridad Obrera en 1907, la mayor parte de los libertarios estimularon el sindicalismo como fórmula adecuada de lucha y abandonaron la acción directa y la propaganda por la acción, que habían propugnado desde finales del siglo pasado atentando contra los políticos más representativos. Ello no impidió que algunos grupos mantuvieran, durante el primer tercio del siglo XX, la táctica de eliminar figuras que consideraban símbolos de la opresión.

La «revolución desde arriba» de Antonio Maura fracasó al no ser capaz de controlar la represión sobre los movimientos sociales. Incluso sufrió un atentado en Barcelona, en 1904, como se puede apreciar en este dibujo de Cabrinety.

Movimiento obrero

«Cuerda de presos», por López Mezquita. La falta de recursos de los sistemas jurídico y penal provocaba que la Guardia Civil condujera a los presos comunes o a los dirigentes sindicales, en un mismo grupo, hacia las cárceles, caminando por las calles de la ciudad unidos por un cordel para impedir su fuga.

El anarcosindicalismo consiguió, a través de la CNT, aglutinar a muchos obreros de las ciudades. Su meta era la huelga general revolucionaria para establecer definitivamente la sociedad del comunismo libertario, en la que el Estado desaparecería y las comunidades regidas por los productores serían las protagonistas. Cada uno produciría según su capacidad y recibiría según sus necesidades. Su fuerza se concentraba principalmente en Barcelona, Valencia, Sevilla, Córdoba y La Coruña. Plantearon un sindicalismo con un alto nivel de confrontación, sin aceptar elementos intermediarios ajenos a los obreros y a los patronos.

Los socialistas se extendieron por Madrid, Bilbao y Asturias. Seguían las conclusiones de la II Internacional: fortalecer el partido obrero para alcanzar el poder y establecer el socialismo. Su organización se concentraba en las agrupa-

ciones locales, cuyos representantes, reunidos en los congresos, establecían la línea política. *El Socialista,* fundado en 1886, era su órgano de expresión. Al mismo tiempo buscaban la expansión de la UGT para arrancar mayores salarios y mejorar condiciones de trabajo, pero dentro de un sindicalismo de «concertación».

Ni anarquistas ni socialistas españoles produjeron grandes teóricos, pero sí hombres fraguados en la acción reivindicativa que adquirieron gran prestigio entre los trabajadores por su honestidad y valentía. Utilizaban el mitin, el panfleto o el folleto como medio de propaganda y, a través de los ateneos obreros y de la difusión de la literatura progresista, crearon escuelas propias que se configuraron como alternativa a la educación oficial o religiosa. De esta manera muchos aprendieron a leer y escribir. En las conversaciones de café discutían sobre el porvenir del sindicato, sobre las teorías políticas y sociales y sobre las coyunturas concretas.

Al principio, Pablo Iglesias defendió e impuso la individualización del PSOE respecto de otras organizaciones, como fórmula de distinción de una oferta de clase de los socialistas, acentuando las diferencias con los republicanos. Tras los acontecimientos de la Semana Trágica, se produjo la conjunción de ambos grupos de cara a las elecciones de 1910, que llevó a Pablo Iglesias, por primera vez, al Congreso de los Diputados. En una de sus primeras intervenciones parlamentarias, en 1910, manifestaba: «Habrán de reconocer que vivimos en un régimen de insolidaridad, en un régimen donde un número relativamente pequeño explota a la mayor parte de los individuos del país (...) que por consecuencia de este régimen, mientras a unos hombres les es permitido adquirir toda la instrucción, a los otros les falta o la adquieren incompleta».

Movimiento obrero

Angel Pestaña (1886-1937) fue uno de los dirigentes más importantes del movimiento obrero español. Jugó un papel muy activo en la huelga general de agosto de 1917, al frente de la CNT, y promovió la ruptura de ésta con la III Internacional, criticando al bolchevismo tras el congreso de Moscú de 1920. Posteriormente, se fue haciendo «reformista» y se opuso a la FAI fundada en 1927.

En la visita oficial a Inglaterra que realizó en 1905, Alfonso XIII conoció a su futura esposa, Victoria Eugenia de Battenberg, nieta de la reina Victoria y reina de España de 1906 a 1931. El matrimonio se celebró el 31 de mayo de 1906 en la madrileña iglesia de los Jerónimos.

60

● **La crisis entre 1914 y 1923: todos quieren ser líderes**

La Gran Guerra de 1914 dividió a los españoles en aliadófilos (partidarios de Francia e Inglaterra) y germanófilos (partidarios de los Imperios Centrales). En general, socialistas, liberales y republicanos defendían a los primeros, mientras que los conservadores simpatizaban con Alemania y el Imperio Austríaco. La misma familia real estaba dividida: la madre del rey y antigua regente, María Cristina, era germanófila por su procedencia, mientras que su esposa, Victoria Eugenia, inglesa, se inclinaba por los aliados.

España, aislada del contexto internacional, no intervino y mantuvo la neutralidad. Sin embargo, las consecuencias de la conflagración le afectaron profundamente. Al principio fue una época dorada para la actividad empresarial. La balanza comercial pasó del déficit a un gran superávit entre 1915 y 1919. La euforia embargó a los capitalistas, que veían cómo sus beneficios se multiplicaban. Los países beligerantes necesitaban pertrecharse con ropa, acero, hierro, etc., para hacer frente a las necesidades de la guerra. La industria textil catalana, por primera vez, superó el mercado interior y exportó a Europa.

El armisticio, en 1918, cambió radicalmente la situación, al comenzar la recuperación económica de las naciones en conflicto. Los negocios fáciles se convirtieron en ruinosos. Las clases populares fueron las más perjudicadas al perder, en muchos casos, el trabajo o el poder adquisitivo de sus salarios.

Años de crisis y enfrentamientos

Se ha señalado 1917 como fecha del inicio de una profunda crisis en la sociedad española. Los grupos sociales se dividieron, acentuaron sus reivindicaciones y propusieron distintas fórmulas de solución. Los tres elementos básicos del capitalismo español habían establecido una especie de alianza para asegurar sus beneficios. Los grandes propietarios agrícolas, los industriales y los financieros sostuvieron el régimen de la Restauración por medio del proteccionismo (la eliminación de la competencia exterior).

Pero el pacto no era fácil y en muchos momentos estuvo al borde de la ruptura. Aquel año, por fin, los burgueses de Cataluña, con la Lliga como plataforma política, creyeron llegado el momento de cambiar el sistema, y en ello coincidieron con los republicanos, los reformistas y los socialistas. La protesta obrera y los militares, que habían formado una especie de sindicato con las «Juntas de Defensa» para pedir mejoras, se sumaron a este panorama de descomposición.

En Barcelona se reunieron 80 diputados que reclamaron la convocatoria de Cortes Constituyentes y se erigieron en Asamblea Nacional. Cambó, el político catalán, apareció como su inspirador junto al líder del partido reformista, Mel-

Huelga general de 1917

La crisis de 1917 en la Puerta del Sol de Madrid. El movimiento obrero adquirió autonomía propia y el comité de huelga (J. Besteiro, L. Caballero, A. Saborit y D. Anguiano) hizo un llamamiento a la opinión pública: «Pedimos la construcción de un gobierno provisional que asuma los poderes, ejecutivo y moderador, y prepare... unas Cortes Constituyentes».

61

F. Cambó cuenta en sus *Memorias*: «Había acabado la discusión de la totalidad del proyecto de Administración Local. Yo veía en él no sólo una mejora considerable para la vida municipal, sino la posibilidad de …crear un órgano administrativo que diera unidad a Cataluña».

quíades Alvarez. A ellos se unieron los militares junteros y republicanos como Lerroux y Marcelino Domingo. La CNT y la UGT declararon una huelga general revolucionaria y apoyaron la convocatoria a Cortes. El movimiento no cuajó y el Gobierno de Dato, con Sánchez Guerra como ministro de Gobernación, pudo desarticularlo. La burguesía tuvo miedo de los sindicatos obreros, que vieron cómo fracasaban sus reivindicaciones, y los mismos militares de las Juntas ayudaron a su represión. Líderes como Besteiro, Saborit y Largo Caballero fueron condenados a penas de cárcel, aunque al año siguiente salieron elegidos diputados.

Los partidos del régimen cada vez se atomizaban más y hubo que recurrir a los gobiernos de concentración porque ningún grupo podía formar una mayoría estable. Entre 1917 y 1923 se produjeron trece cambios. Los conservadores tenían a Dato y a Maura, que volvería a presidir

un gabinete en 1918. Los liberales contaban con García Prieto, Santiago Alba y el conde de Romanones.

Durante estos años creció el estado de agitación social. Llegaban las noticias de la Revolución Rusa, que estimulaban las peticiones obreras y campesinas. Los agricultores exigían la abolición del destajo, los contratos de trabajo colectivos, las jornadas de ocho horas y la aplicación de la ley de accidentes laborales. Una serie de huelgas, algunas de ellas violentas, se extendieron por la mayoría de las zonas agrarias y, en 1919, el Gobierno tuvo que enviar tropas al sur para reprimir los alzamientos.

En los centros industriales los obreros reclamaron mejoras salariales y el mantenimiento del empleo ante la crisis de la posguerra. Los patronos desencadenaron también su ofensiva: utilización del cierre de las empresas (el *lock-out);* negativa a dar trabajo a los afiliados a los sindicatos;

Huelga general de 1917

Braceros andaluces en «La siega» de Gonzalo Bilbao. Sus jornadas, cuando tenían la suerte de ser contratados en la plaza del pueblo, duraban de sol a sol. Ingerían una única comida: el popular gazpacho. Sólo poseían sus aperos de trabajo y la lucha por la tierra los impulsó a realizar actos de rebeldía.

potenciación de los «sindicatos libres» en contra de la CNT y UGT, que en estos años consiguieron movilizar a más de 800.000 obreros (600.000 la CNT y 200.000 la UGT). El congreso de la CNT, en 1919, y el conflicto de «la Canadiense», la empresa eléctrica catalana, representaron la cumbre del movimiento anarcosindicalista. La huelga duró 44 días, paralizando el 70 por 100 de las industrias, y el resultado constituyó un triunfo para el sindicalismo: los salarios serían fijados por comisiones mixtas entre empresarios y trabajadores y la CNT fue reconocida legalmente.

La Federación Patronal de Barcelona reaccionó decretando el *lock-out* y exigiendo un gobernador civil fuerte. El cargo recayó, en 1920, en Martínez Anido, quien estimuló los enfrentamientos y apoyó a los sindicatos libres. Se desarrolló el «pistolerismo» con bandas armadas de uno y otro tipo que disparaban contra las perso-

nalidades significativas. Por parte de la policía se empleó la «ley de fugas», que permitía tirar contra todo detenido que intentara huir; pero se aplicó con frecuencia a falsos fugados, a los que se obligaba a salir de las cárceles o las comisarías. Así murió uno de los líderes sindicalistas catalanes de más prestigio, Salvador Seguí, «el noi del sucre». Otros, como Angel Pestaña, sufrieron atentados.

Pero el sindicalismo continuaba desunido: la UGT mantenía su vinculación al socialismo y no aceptaba la incorporación a la III Internacional, surgida con el triunfo de los comunistas en Rusia. La CNT, en cambio, controlada por anarquistas o sindicalistas revolucionarios, se adhirió en primera instancia, aunque la rechazó al recibir noticias de persecuciones de libertarios y otros revolucionarios. En 1921 surgió el Partido Comunista como un pequeño grupo de antiguos socialistas o sindicalistas.

Huelga general de 1917

«Garrote vil», óleo de José Gutiérrez Solana. Cada país tenía una forma de ejecutar a sus condenados: la guillotina en Francia, la horca en Gran Bretaña, el garrote vil en España.

Annual: símbolo de un desastre

Las tropas españolas, tras el desastre del barranco del Lobo, ocuparon Nador, Zeluán y el Gurugú, pero la cuestión marroquí no se solucionó y continuó siendo una carga para la política nacional. La protesta contra la guerra fue un móvil de agitación permanente. Algunos conservadores, como Cambó, propusieron una retirada total, al igual que republicanos y socialistas.

A partir de 1920 las cabilas rifeñas encontrarán en Abd-el-Krim el líder que supo unirlas y utilizar la guerrilla como desgaste del ejército español. Existían dos comandancias, la occidental en Ceuta y la oriental en Melilla, separadas por la bahía de Alhucemas. Dámaso Berenguer, el nuevo alto comisario, conquistó en el oeste la ciudad de Xauen. En Melilla estaba el general Silvestre quien, sin contar con el Estado Mayor —«el estorbo mayor» como él lo llamaba— ni con Berenguer, decidió dominar Alhucemas pero sufrió una gran derrota en Annual en 1921. Las tribus de Abd-el-Krim causaron más de 12.000 bajas y se apoderaron de 14.000 fusiles, 1.000 ametralladoras y 115 piezas de artillería. En po-

La legión en Africa. Desde los sucesos de la Semana Trágica en 1909, los gobiernos españoles trataron de penetrar en Marruecos de forma pacífica. Emplearon la táctica de atraerse a los jeques de las cabilas del Rif utilizando a agentes pagados. Pero a partir de 1920 los rifeños organizaron la resistencia, enfrentándose al ejército español.

cos días se perdieron 5.000 kilómetros cuadrados y la propia Melilla estuvo en peligro.

El general Berenguer comenzó a reconquistar el territorio pero fue sustituido por Burguete en 1922, quien puso en marcha una política de soborno a las cabilas. Los jóvenes que habían hecho su carrera militar durante estos años, como Millán Astray (fundador de la Legión), Franco o Sanjurjo, se opusieron a estas actitudes. Eran la representación de los «guerreros» y planteaban la confrontación hasta la victoria total.

Después de Annual se exigieron responsabilidades e, incluso, se insinuó la del mismo rey. En agosto de 1921 se encargó al general Picasso abrir un expediente gubernativo que clarificara los hechos. Nunca llegó a verse, por el golpe de estado de Primo de Rivera.

A la sombra de un roble los vascos recuerdan con nostalgia su pasado

A medida que la revolución liberal iba uniformando la sociedad e imponiendo costumbres parecidas en todos los lugares, las culturas más ancestrales y con un sentimiento más arraigado de

«La Mina» de Aurelio Arteta. Las duras condiciones de trabajo harán que en mayo de 1890 se produzca en la zona minera de Bilbao la primera huelga general. Entre las peticiones figuraban la reducción de la jornada laboral y poder vivir fuera de los barracones de las compañías.

Fábrica del Carmen en Baracaldo. El capitalismo vasco experimentó una fuerte expansión durante los años de la Gran Guerra (1914-18). Se crearon nuevas empresas que obtuvieron beneficios crecientes; así, la compañía Sota y Aznar pasó de 2,5 millones en 1914 a 35 en 1918.

sus tradiciones luchaban por mantener su personalidad y reivindicaban su situación peculiar dentro de la realidad española.

En Euskadi, desde finales del siglo XIX, se había producido una industrialización proveniente en parte de los beneficios mineros y en parte de la capacidad de autofinanciación de pequeños artesanos, antiguos forjadores que tenían sin duda experiencia en la manipulación de los metales. La industria siderúrgica, con sus altos hornos, era el símbolo característico de una burguesía que monopolizaba la producción de hierro en España y que intervenía en la fundación de los grandes bancos. Bilbao experimentó un gran crecimiento urbano y apareció una clase obrera con un fuerte porcentaje de emigrantes procedentes de todo el Estado, que apoyó al socialismo y se afilió a la UGT.

A su lado coexistían unas clases medias que no conectaban con los sectores económicos dominantes y que veían en el proceso industrializador una amenaza para la pureza de la sociedad vasca. Al igual que habían luchado en favor del carlismo, pugnarán ahora por mantener sus antiguos fueros con la apología de la tradición de las Juntas Generales, cuya expresión máxima será el viejo roble de Guernica y la defensa de un mundo basado en la ganadería y la agricultura, con un catolicismo integrista, nada permisivo a las ideas liberales. Fue Sabino Arana quien dio coherencia y fuerza política al movimiento nacionalista, y en 1894 fundó el Euskaldun Batzokijá, núcleo del Partido Nacionalista Vasco. Al contrario del pactismo catalán, apo-

El nacionalismo vasco de finales del siglo XIX basaba su identidad en la defensa de las tradiciones. Sabino Arana llegó a decir: «Vizcaya debe basarse en la subordinación completa e incondicional de la política a la religión, del Estado a la Iglesia». Después mantuvo una actitud más integradora y el nuevo espíritu promovió sistemáticamente el cultivo literario del euskera.

yaría la separación del Estado español; era necesario reconstruir en torno a la raza y la lengua las esencias vascas, aislándolas de influencias foráneas. De un fuerismo radical, agrarista y excluyente de la primera época, Arana llegó a flexibilizar su postura articulando un nacionalismo integrador de todos los elementos de la sociedad. En 1905 los diputados de Euskadi, coincidiendo con Solidaritat Catalana, solicitaron la reconstrucción del régimen foral y en 1918 contaban ya con siete diputados.

Los últimos años del parlamentarismo

Resultaba ya difícil a los partidos turnantes controlar la situación. El fraccionamiento de conservadores y liberales parecía un cáncer para el propio sistema, que no podía así diseñar una política coherente a medio y largo plazo. Pese a los intentos del líder conservador Eduardo Dato de establecer un Ministerio de Trabajo, en 1920, para estudiar los problemas y plantear las soluciones oportunas, la agitación social y las reivindi-

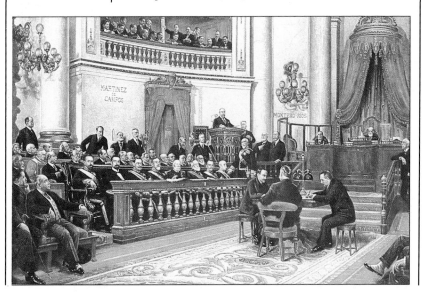

caciones autonomistas catalanas iban creciendo paulatinamente.

En medio de una tensión permanente, el mismo Dato fue asesinado el 8 de marzo de 1921, dentro de un proceso de atentados que acabó igualmente con la vida de Regueral, exgobernador civil de Vizcaya, y del arzobispo de Zaragoza, monseñor Soldevilla; era una aparente respuesta a los poderes inspiradores de la Ley de fugas que provocaría numerosos asesinatos de sindicalistas como Boal, Salvador Seguí o el abogado Layret, defensor de dirigentes cenetistas en muchos juicios.

En estos años Maura volvió a presidir dos gobiernos. Uno en 1919, con Antonio Goicoechea como titular de Gobernación; éste amañó los resultados, como era habitual, y desacreditó a un movimiento que había intentado formar un partido político en cuyos puntos programáticos es-

Crisis de la Restauración

Entierro del abogado Francisco Layret. Fue una de tantas víctimas del pistolerismo catalán que, en este caso, quería intimidar a los defensores de los dirigentes sindicales. Layret, desde el republicanismo progresista y catalanista, intentó atraerse a los sectores más moderados de la CNT, como Salvador Seguí, para que intervinieran en la política.

71

En 1918 Maura volvió a presidir un gabinete bajo la nueva fórmula de gobierno de concentración. Al principio propició una oleada de simpatías, pero en la práctica no encontró el medio idóneo para llevar a cabo la «revolución desde arriba». Las tensiones e incompatibilidades aparecieron pronto y todo fracasó. A partir de entonces, muchos seguidores de Maura empezaron a cuestionar el sistema parlamentario. En el órgano del maurismo, «La Acción», se tachaba a los políticos de «caciques mandones» y de «paniaguados holgazanes».

taba el desmantelamiento del caciquismo. El último gabinete presidido por el viejo conservador fue en agosto de 1921, y en él integró a liberales y al representante del catalanismo de la Lliga, Francesc Cambó, quien como ministro de Hacienda intentó reajustar de nuevo los aranceles para proteger los interes de la burguesía catalana. Pero el experimento apenas duró unos meses.

Algunos jóvenes mauristas abandonaron a su líder, ya anciano y con escasas fuerzas para plantear nuevas batallas, y se integraron en el Partido Social Popular fundado en 1922, cuyos puntos programáticos se inspiraban en los del Partido Social Italiano, y con menos ataduras hacia el parlamentarismo como forma de gobierno. Una parte de las masas de derechas, que el maurismo había sabido captar, iría así decantándose hacia fórmulas autoritarias, como alternativa a un sistema que además de no dar soluciones agravaba, si cabe, las tensiones sociales y políticas.

El régimen estaba herido de muerte y no existían las condiciones para el funcionamiento de un modelo liberal: la clase política no se sustituía periódicamente en elecciones, y éstas sólo servían para confirmar su permanencia en el poder.

El liberal García Prieto realizó el último intento de formar un gobierno constitucional en diciembre de aquel mismo año. Propuso una serie de medidas encaminadas a democratizar la vida política, como la reforma del sufragio para que fuese proporcional, cambios en la estructura del Senado, legalización de partidos y sindicatos obreros, libertad religiosa, a la vez que proyectos de reforma agraria, fiscal e intensificación de las obras públicas.

Cuando podía tal vez remontarse la situación y dar entrada a los elementos marginados de la vida política oficial, el capitán general de Cataluña, Miguel Primo de Rivera, con el beneplácito del rey, proclamó el estado de guerra el 13 de septiembre de 1923. Lanzó un manifiesto «al país y al ejército» con la retórica de salvar a España de los «profesionales de la política» que desde 1898 gobernaban el país de acuerdo con sus intereses particulares. Alfonso XIII estaba en San Sebastián, lugar de residencia de la corte en los meses de verano, y se trasladó a Madrid al día siguiente. Se negó a destituir a los generales sublevados y, ante la dimisión del Gobierno, llamó al militar insurrecto para que se encargara del poder. El golpe de estado estaba consumado y la constitución de 1876 definitivamente destruida.

A partir de entonces se abrió un abismo entre los dirigentes del sistema anterior y el rey, que pudo ser aprovechado años más tarde por los republicanos, que permanecieron marginados en esta época. De igual manera, los intelectuales, que mostraron una oposición frontal a la Dictadura, acusaron al monarca de haberla alentado y tolerado.

Crisis de la Restauración

Primo de Rivera despachando con Alfonso XIII tras el golpe de estado de 1923. Desde los primeros momentos, escritores como Unamuno o Blasco Ibáñez atribuyeron a Alfonso XIII su decidido apoyo al dictador, pero aquél negó su participación en el mismo. Para otros, el monarca se limitó a sancionar un hecho irreversible que siempre consideró transitorio.

3

Un dictador para un pueblo (1923-1930)

El general Primo de Rivera, de forma diferente a la tradición golpista del XIX, pretendía construir un régimen estable. Disolvió las Cortes y formó un Directorio Militar. La reacción popular fue en gran medida favorable, o al menos de pasiva aceptación; se pensaba que iba a poner fin a un sistema obsoleto, contra el cual se manifestaban muchas fuerzas políticas.

Sus ideas sobre los problemas sociales y políticos eran muy simples. Como militar creía en el orden por encima de todo, descalificando a los parlamentarios, a los que tachaba de ineficaces «pues sólo sabían hablar y hablar sin resolver nada». Los consideraba culpables de todos los males del país y estaba decidido a actuar justamente en sentido contrario a ellos; de ahí su decisión de eliminar las elecciones. Tenía en alta estima la acción rápida, sin caer en matices ni en procedimientos democráticos; por eso valoraba los gobiernos fuertes que actuaban con contundencia. ¿Era eso lo que pretendía en su día Joaquín Costa? ¿Era Primo de Rivera el Salvador de hierro que resolvería los problemas de España? Así lo pensaba el propio dictador, convencido de que estaba poniendo en marcha la «revolución desde arriba» que propugnara Antonio Maura, pero sin los «inconvenientes» del liberalismo parlamentario, en su opinión, principal causa de su fracaso.

No parece que fuese el «Mussolini» de Alfonso XIII como en alguna ocasión manifestó el propio rey. No planteaba el papel de un Estado nuevo, ni una filosofía sobre el ciudadano que habría de surgir del «nuevo orden» como ocurría con el fascismo. Era un régimen esencialmente autoritario, que no podía ya justificarse aludiendo solamente al orden público, como aquellos

Ante el monumento a Joaquín Costa, el dictador afirmaba en un discurso: «Yo digo aquí, ante Costa, que el programa trazado por ese hombre está ya cumplido y ampliado... No hay ahora en España ni un solo cacique, ni un hombre de ninguna clase con poder suficiente para destituir a un juez o un magistrado, porque el que cumple hoy con su deber tiene todo el apoyo de su gobierno y, tras él, de España entera».

golpes de estado del siglo pasado. Tenía que proporcionar respuesta a los problemas de los propietarios y de los trabajadores, en un momento en el que la presión de los ciudadanos era ya un factor fundamental de las movilizaciones. Por eso se necesitaba de cierto populismo. Estaba convencido de que la charla directa con el pueblo le permitiría gobernar mejor, pues conocería de forma directa sus dificultades y podría explicarles a su vez las razones de sus decisiones y de sus leyes. Esta actitud de marcado paternalismo fue muy bien recibida al principio por la opinión pública, pero pronto se volvió en su contra, despertando el desprecio de mucha gente hacia su persona.

El intento de un nuevo Estado
No era la Dictadura un elemento extraño en el contexto europeo. Durante los años veinte, países como Lituania, Italia, Polonia, Grecia o Hungría habían instaurado regímenes autoritarios que rompían con el liberalismo parlamentario y que

Alfonso XIII y Primo de Rivera en Barcelona, en diciembre de 1924. El Dictador se consideraba salvador de la patria y para ello no reparó en suspender el Parlamento, justificándolo como medio para eliminar a los caciques y políticos que habían permitido la corrupción y tolerado el auge del catalanismo, al que tachaba de separatismo.

El somatén fue un cuerpo creado en Cataluña en 1875, compuesto por miembros civiles, sin vinculación militar, que se reunían al toque de campana para perseguir a ladrones o criminales. Bajo la Dictadura se extendió por toda España.

prefiguraban en muchos casos la época de los fascismos en los años 30.

Un real decreto del 15 de septiembre de 1923 señalaba que Primo de Rivera era el presidente de un Directorio Militar encargado de la gobernabilidad del Estado, con el mantenimiento del refrendo del rey a todas las resoluciones del mismo. Salvo su presidente, ningún otro miembro del Gobierno podía despachar directamente con Alfonso XIII, y ambos mantuvieron la ficción de que la Constitución de 1876 sólo había sido suspendida. Al principio todo parecía transitorio y se justificaba en función de establecer el orden público que se creía deteriorado. Con este propósito se extendió el somatén a toda España; era ésta una organización típicamente catalana formada por paisanos armados que, bajo la superior autoridad del capitán general, se había encargado, desde 1875, de mantener la paz pública e intervenir en algunos momentos activamente a favor de los patronos contra los sindicalistas de la CNT.

La Unión Patriótica

A partir de 1924, carente el dictador de una ideología definida, buscó dar un nuevo contenido a su política para superar la imagen de que su intromisión en los asuntos de Estado se reducía tan sólo a una aventura militar. En un discurso pronunciado en Barcelona en abril de ese año, con ocasión de una exposición automovilística, habló por primera vez de la Unión Patriótica. Anunció que pretendía agrupar a los hombres «de ideas sanas» para que pudieran presentarse a las elecciones generales, apoyados decididamente por el Gobierno.

Ángel Herrera, director del periódico católico y conservador *El Debate,* y más tarde cardenal, fue el inspirador de la idea desde el mismo momento del golpe militar. Le parecía el camino adecuado para poner en funcionamiento la vieja fórmula maurista de la «revolución desde arriba» y acabar, de una vez, con el sistema de clientelas políticas. Por tanto, un amalgama de mauristas, tradicionalistas y conservadores, a los

Directorio Civil

José Calvo Sotelo con algunos miembros de la Unión Patriótica, en 1927. Después de encauzar el conflicto de Marruecos, Primo de Rivera comenzó a pensar que la Dictadura no debía ser transitoria. Cuando en 1925 cambió el Directorio Militar por otro Civil contó con personalidades sin anterior vinculación política: Eduardo Aunós, José Yanguas, Galo Ponte y Calvo Sotelo, que se ocupó del Ministerio de Hacienda.

El vasco Ramiro de Maeztu participó del deseo de regeneracionismo de la Generación del 98 y criticó el sistema de la Restauración. Defendió la dictadura de Primo de Rivera y su ideología de raíz carlista lo convirtió en uno de los pocos intelectuales de la derecha española. En su libro *La crisis del Humanismo* propugnaba un sistema político antiliberal y corporativo. Murió asesinado en Madrid en 1936.

que se unieron los consabidos oportunistas, contrarios o desengañados de la división e ineficacia de los conservadores parlamentarios, defendieron la idea de un movimiento que no quería ser llamado partido político.

El propio Dictador participó en la afiliación de personalidades catalanas y vascas que consideraba claves, con el propósito de que estas dos zonas, junto con la ciudad castellana de Valladolid, núcleo importante del activismo de derechas, formaran el eje del progreso económico y social que había de dinamizar a la sociedad española, y eliminar así cualquier intento de nacionalismo, o autonomismo, al que tan contrarios eran los militares.

Se formaron entonces uniones locales con el firme apoyo de los gobernadores civiles o alcaldes de turno, que reclutaron a una gran parte de los grandes contribuyentes, concejales o funcionarios.

La Asamblea Nacional

El Directorio Militar se cambió en diciembre de 1925 por otro Civil, con la intención de afrontar los asuntos económicos y políticos con mayor eficacia. Quería perpetuar el nuevo Estado con la instauración de una Asamblea Nacional Consultiva de carácter corporativo. Fue en el congreso nacional de la Unión Patriótica en 1926 donde se lanzó la idea; todo había de ser sustentado en la familia y en el municipio. Ya en 1924 se había promulgado el Estatuto Municipal, que con un sistema mixto de elección, universal y corporativo, proporcionaba una cierta autonomía a los ayuntamientos para realizar obras públicas tales como el alcantarillado, la traída de aguas o el pavimento de las calles.

Después de un plebiscito, comenzaron los preparativos para la convocatoria de la asamblea con el apoyo de los sindicatos libres, de los sindicatos católicos y de intelectuales como Ramiro de Maeztu, que la concebía como el elemento básico que recogía la voluntad de los elementos esenciales en que se sustenta cualquier Estado: la familia, la iglesia y los propietarios. Al principio, el monarca se mostró reacio a refrendar la iniciativa, por el carácter simbólico que tenía, de liquidar definitivamente la Constitución de 1876, pero al final cedió y estampó su firma en el decreto de convocatoria. El paso siguiente sería la elaboración de una nueva Constitución, con el llamado Consejo del Reino, compuesto por miembros vitalicios cuya misión era moderar el sistema de una sola cámara, elegida, una parte, por sufragio universal, y el resto, designada por el rey o por los profesionales, en colegios electorales especiales. Pero el desarrollo de los acontecimientos impidió su realización.

Construcción de una carretera en Teruel, en 1925. El intervencionismo económico del Estado durante la época de la Dictadura dirigió una parte importante de las inversiones públicas a la construcción de carreteras y vías férreas. Se construyeron más de 9.000 km. de carreteras y comenzó a difundirse el uso del automóvil y del camión.

Socialistas y
anarquistas

Aunque los socialis-
tas no apoyaron la
Dictadura, tampoco
manifestaron una
actitud beligerante
frente a ella, llegan-
do a colaborar en
cuestiones puntua-
les, lo que les per-
mitió mantener ca-
si intacta su estruc-
tura política y sindi-
cal. Esta actitud
ambigua era pro-
ducto de la convi-
vencia de diferentes
corrientes en el seno
del PSOE, una iz-
quierdista y otra
moderada.

El papel de los socialistas

El dictador nombró asambleístas a algunos republicanos y socialistas, como el líder sindical Lla-
neza o Lucio Martínez. La UGT y el PSOE celebraron congresos extraordinarios y acordaron no
participar, a propuesta de Indalecio Prieto y en
contra de la tesis de Julián Besteiro, que pensaba «si nosotros no tuvimos inconveniente en ir
al Congreso de los Diputados, donde tantas re-
presentaciones ilegítimas había, ¿por qué vamos
a variar de conducta en estos momentos? La pa-
labra abstención no existe en nuestro programa».
Precisamente el partido y la sindical socialista no
opusieron resistencia al golpe de Estado: se li-
mitaron a su reprobación moral pero no intervinieron activamente, pensando en la transitorie-
dad de la situación. Al fin y al cabo, significaba
terminar con una práctica política que ellos siempre habían combatido; por tanto, la Dictadura era
producto de un sistema viejo que no estaban dispuestos a defender. *El Socialista* no dejó de
publicarse y las casas del pueblo permanecieron

abiertas. Miembros del Directorio celebraron entrevistas con líderes sindicales ugetistas que permitieron salvaguardar la organización, al contrario que la CNT que veía, en algunos casos, cerrados sus locales y suspendidas sus actividades, aunque también algunas publicaciones anarcosindicalistas continuaron editándose.

En esta época el sindicalismo de acción directa, controlado en mayor o menor grado por los anarquistas, sufrió divisiones y enfrentamientos ante la definición de la estrategia más adecuada para la CNT. Los anarcosindicalistas más moderados pensaban que lo importante era consolidar la estructura sindical, mientras que los anarquistas intransigentes estimaban que el verdadero camino era lograr el comunismo libertario, y para ello era necesario el control de los órganos de la Confederación. Desde esta perspectiva, en 1927, varios representantes de grupos libertarios fundaron en Valencia la FAI (Federación Anarquista Ibérica) para evitar las desviaciones sindicalistas.

Socialistas y anarquistas

Los anarquistas se enfrentaron abiertamente a la Dictadura e incluso prepararon algún levantamiento frustrado. La CNT, desorganizada y debilitada a causa de la represión, no pudo reaccionar con eficacia y pasó a la clandestinidad. Se produjo entonces un proceso de politización que culminó con la creación de la FAI (Federación Anarquista Ibérica), en 1927, de carácter radical.

Las alternativas políticas de la Dictadura

Primo de Rivera justificaba su presencia en el poder para afrontar los problemas más graves del momento: Marruecos, el orden público y la situación económica.

Marruecos: el desembarco de Alhucemas

La Dictadura debía resolver el tema de las responsabilidades por el desastre de Annual y darle solución satisfactoria a la guerra. En el primer caso se echó tierra sobre el expediente Picasso y se diluyeron las responsabilidades del rey y otros militares. El Congreso y el Senado fueron disueltos el 17 de septiembre de 1923 y el asunto fue remitido a los tribunales ordinarios, que lo dejaron en suspenso.

En relación con la guerra, los militares estaban divididos: unos eran partidarios de continuarla hasta el final y otros de abandonar el Protectorado a su suerte. Primo de Rivera era de estos últimos, pero cambió de actitud cuando estuvo

Desembarco de Alhucemas y retrato de Abd-el-Krim. Este convirtió la resistencia contra los españoles en el Rif en una guerra santa anticolonialista y se lanzó, igualmente, contra los franceses en las tierras del sur del territorio. Su ataque se realizó en 1925 y constituyó un éxito, lo que le hizo abrigar esperanzas de convertirse en Sultán de Marruecos. Pero a partir de entonces, franceses y españoles coordinaron su acción en dicha zona. En la playa de Cebadilla, al oeste de la bahía de Alhucemas, Primo de Rivera disponía de 16.300 hombres y 88 aviones frente a cinco mil rifeños. El 26 de mayo de 1926 Abd-el-Krim se rindió a los franceses y manifestó: «Me anticipé a mi tiempo».

en el poder y decidió dar la batalla. La suerte en este caso favoreció la causa española. Las tropas de Abd-el-Krim atacaron las posiciones francesas por primera vez y les causaron numerosas bajas. Los gobiernos de Madrid y·París celebraron reuniones; tras una entrevista en Tetuán con el general Petain, se decidió el desembarco en la bahía de Alhucemas para conseguir un efecto sorpresa sobre las posiciones marroquíes del Rif, al mismo tiempo que los franceses atacaban desde Fez, montañas arriba. El líder árabe quedó acorralado y huyó, entregándose a los franceses. La paz llegó a Marruecos a mediados de 1926.

El orden como justificación de la política social

Las reivindicaciones sociales se aceleraron tras la Primera Guerra Mundial. El movimiento obrero no se limitó a exigir mejoras en sus salarios y condiciones de trabajo, sino que comenzó a plantearse la posibilidad real de un Estado proletario como había ocurrido en Rusia en 1917. Los «terceristas» o bolcheviques, como eran llamados los partidarios de la III Internacional, estaban organizados a partir de núcleos escindidos del partido socialista y de la CNT, pero el PCE constituía todavía un grupo minoritario que, aunque había hecho un llamamiento a la huelga general contra el golpe de estado, contaba con escasa capacidad de movilización. El PSOE y la UGT se pusieron a la defensiva ante un movimiento que consideraban estéril y perjudicial para la clase obrera española. La CNT, como hemos visto, se enfrentó al Directorio, pero muchos sindicalistas fueron detenidos y otros se marcharon al exilio. Martínez Anido pasó a ser ministro de Gobernación, y su experiencia en enfrentamientos con los cenetistas, como gobernador civil de Barcelona, le sirvió en su nuevo puesto.

Guerra de Marruecos

Cacheo en el campo andaluz. La estructura de la propiedad agrícola andaluza, caracterizada por el gran latifundio, donde el trabajo se realizaba utilizando mano de obra contratada por jornadas, fue una de las causas de los movimientos de rebelión contra las condiciones laborales, el hambre y la miseria. De ahí que los ideales de liberación del campesino y de transformación de la sociedad tuvieran allí amplia resonancia.

Largo Caballero, estuquista de profesión, pertenecía al potente sector de albañiles de la UGT, que junto con los mineros asturianos, los metalúrgicos bilbaínos y los ferroviarios formaban la base sindical obrera socialista. Se mantenía una estructura de oficios que se adaptó perfectamente al sistema de relaciones laborales establecido por la Dictadura, consolidando las sociedades obreras ugetistas y ampliando su campo de acción ante la represión ejercida sobre la CNT.

A pesar de todo, Primo de Rivera quiso buscar soluciones a los enfrentamientos entre patronos y obreros. Pretendió impulsar una legislación laboral que mejorara las condiciones de los trabajadores y adoptó medidas populistas, como la distribución de comida y ropa gratuita a las familias necesitadas. En abril de 1924 el Consejo de Trabajo sustituía al Instituto de Reformas Sociales, en el que se daba representación equitativa a los proletarios y a los empresarios, para asesorar al Gobierno en materia de derecho laboral. Estimuló la construcción de casas baratas y destinó recursos económicos para propiciar la formación laboral de los trabajadores, regulada en el Estatuto de la Educación Profesional Obrera. Las familias numerosas recibieron subsidios y el trabajo nocturno de las mujeres fue reglamentado. Finalmente, aumentó el número de maestros y de escuelas primarias.

Este intento de entendimiento entre las partes lo realizó el ministro de Trabajo, Eduardo Aunós, a través de los comités paritarios, donde unos y otros discutían sobre los problemas laborales. En el sistema, sin embargo, había ciertas diferencias respecto al fascismo italiano, al no tener un carácter obligatorio y permitirse la libre sindicación, aunque el único medio legal de solucionar los conflictos de trabajo eran los comités paritarios.

Esta situación favoreció la consolidación de la UGT que, contrariamente a la CNT, aceptaría el proceso, lo que sin duda sirvió para que aumentaran sus efectivos. Esta colaboración llegó incluso a que Largo Caballero formara parte, en representación de los obreros, del Consejo de Estado.

Sin embargo, esto no significó ausencia de enfrentamientos y, así, en 1927, se cerraron varios centros sindicales socialistas al llevarse a cabo huelgas no autorizadas.

Una economía intervenida

Primo de Rivera consiguió el apoyo de los grandes propietarios agrícolas, temerosos de la agitación casi permanente de los jornaleros o braceros sin tierra, y de los industriales catalanes y vascos a quienes favoreció siguiendo la tónica iniciada a finales del siglo XIX. Existía un pacto implícito entre estos dos sectores, que llegó a ser la base del equilibrio económico de la Restauración, pero el dictador optó claramente por los intereses de las burguesías industriales, con un proteccionismo tendente a conseguir la nacionalización creciente de la industria española. Ello le llevó a adoptar posiciones mucho más intervencionistas que ninguno de los gobiernos anteriores y contó con un político como Calvo Sotelo, procedente del maurismo, para ocupar la cartera de Hacienda.

La Dictadura llevó a cabo la regulación del mercado, limitando artificialmente la competencia, fijando los precios y poniendo trabas a la instalación de nuevas fábricas, al tiempo que fomentaba ayudas a la producción. Aparecieron monopolios estatales como CAMPSA y Tabacalera, pero en cambio dio la concesión de la Compañía Telefónica a la empresa norteamericana ITT, por veinte años y en condiciones muy ven-

tajosas. El sistema creó en muchos casos arbitrariedades y favoritismos muy propios de los regímenes dictatoriales.

El Gobierno estimuló también el aumento del sector público, en especial las obras que favorecían los intereses industriales, principales beneficiarios de los mejores transportes, carreteras o centrales hidroeléctricas; y otro tanto hizo con la siderurgía y el cemento. Como contrapartida, era necesario reformar la política fiscal, pero no pudo culminarse por la oposición de los terratenientes. Calvo Sotelo hubo de recurrir a la deuda pública y a los presupuestos extraordinarios.

En la agricultura la incidencia fue menor y apenas tuvieron repercusión las medidas tendentes al asentamiento de cultivadores que contaban con la subvención del Estado para la compra de tierras. Las Confederaciones Hidrográficas intentaron explotar los grandes ríos, regulando sus aguas y riegos y electrificando terrenos. Pero sólo se hizo realidad el proyecto en el Ebro, con la extensión del regadío a través del canal Aragón-Cataluña.

El principio del fin de la Dictadura

Primo de Rivera había conseguido acabar con el aparato ortopédico de la Restauración, pero no pudo levantar otro nuevo. Las críticas contra la Dictadura arreciaron y aparecieron sus adversarios más irreconciliables: los antiguos políticos liberales, los republicanos, la CNT, los estudiantes y los intelectuales jóvenes (Marañón, Ortega y Gasset, Fernando de los Ríos, Azaña...) a quienes no supo atraerse.

Los universitarios emprendieron la lucha contra el régimen, no sólo por enfrentamiento generacional o por motivos ideológicos frente a aquellos vetustos políticos que proponían rejuvenecer España, sino también por la compe-

Gregorio Marañón. Médico y ensayista, supo combinar la investigación científica y la prosa literaria con su capacidad didáctica como profesor y conferenciante. Obtuvo premios y distinciones tanto en España como en Francia o Argentina. Fue miembro de la Real Academia de la Lengua, la Historia, la Ciencia, la Medicina y la de Bellas Artes.

tencia dada a jesuitas y agustinos para impartir títulos académicos superiores que, generalmente, eran preferidos en el mercado de trabajo.

Conspiraciones militares

Desde bien pronto los militares fueron distanciándose del dictador y participando en conspiraciones de características diversas. La «Sanjuanada», una de las primeras, la impulsaron políticos liberales y algunos republicanos. El 6 de enero de 1925, se reunían en el Café Nacional de Madrid numerosos oficiales, entre ellos el capitán general Weyler, y formaron juntas para conseguir fondos que financiasen la rebelión. Los jóvenes eran los más activos e intentaban vencer la resistencia de aquellos generales, o coroneles, que retrasaban la acción. Se determinó finalmente que la sublevación se iniciaría en Valencia el 24 de junio, fiesta de San Juan. El general Aguilera protagonizaría el asalto a la Capitanía General y se leería un manifiesto redactado por Melquíades Alvarez. Todo el país estaba al tanto de que algo se preparaba. Unos días antes algunos oficiales fueron detenidos y Primo de Rivera, que sospechaba lo que ocurría, ordenó que las tropas se

Escena de una huelga de estudiantes. En los últimos años de la Dictadura creció la agitación social y la Monarquía se quedó muy debilitada: perdió el apoyo de algunas personalidades (Sánchez Guerra y Alcalá Zamora) y se enfrentó a la hostilidad manifiesta de republicanos, socialistas, intelectuales, estudiantes, catalanistas, obreros y militares. Todas las fuerzas adversas le imputaban haber incumplido la legalidad constitucional instaurada en 1876.

Melquiades Alvarez (1864-1936), político de filiación confusa, fundó el Partido Reformista en 1912, con la esperanza de articular una formación progresista y al margen de los partidos turnantes, pero a la derecha de los republicanos. En 1922-23 desempeñó el cargo de presidente del Congreso. Fue monárquico hasta que, en 1930, se pasó al republicanismo, y contribuyó a la caída de la Dictadura.

acuartelasen y retuvo todos los despachos telegráficos para provocar la incomunicación entre los conspiradores. Aguilera y otros implicados fueron detenidos y a otros se les impusieron fuertes multas, como al conde de Romanones, Weyler, Gregorio Marañón, Marcelino Domingo, Mariano Benlliure...

En octubre de 1925 tuvo lugar otro intento, pero esta vez de carácter nacionalista. El coronel Francesc Macià reunió en Francia ocho millones de pesetas y formó un ejército constituido por 800 voluntarios catalanes que dirigió desde París a la frontera, pero la policía francesa los detuvo. Su juicio tuvo amplio eco dentro y fuera de España pues fue considerado un proceso a la Dictadura.

Otro foco de descontento se abrió entre los militares a raíz del real decreto del 16 de junio de 1926. Con él se suprimía la escala cerrada que impedía el ascenso por otros méritos que no fuesen la aplicación estricta del escalafón, sistema que era el utilizado por el cuerpo de Artillería. Pronto estalló la rebelión. Los regimientos de este Cuerpo se encerraron en sus cuarteles para manifestar su rechazo. El 5 de septiembre el dictador disolvió la Artillería, incitó a las tropas a que no reconocieran a sus superiores y les negó el derecho a vestir su uniforme. Se sucedieron los enfrentamientos y las detenciones, pero en diciembre se dieron por vencidos al no contar con el apoyo de otros sectores armados.

Para enero del 29 los militares prepararon un nuevo plan. Preveían conseguir el levantamiento sincronizado de todas las guarniciones del país e incluso pensaban en una huelga general que los secundase. Los hechos estallaron en Valencia y una vez más acabaron en fracaso. Sánchez Guerra, el viejo político conservador y uno de sus protagonistas, fue detenido y juzgado. En el consejo de guerra seguido contra él expuso que su deseo era restaurar la legalidad constitucional, y fue absuelto. Esto mostraba claramente el ambiente de rechazo al régimen por parte del Ejército.

Los preparativos para un nuevo golpe se repitieron. Esta vez se fijó para el 28 de enero de 1930, en Cádiz, y entre sus dirigentes estaba el comandante Ramón Franco. El jefe debería ser el general Goded. Pero no tuvo lugar, pues un día antes Primo de Rivera, sin el apoyo de los militares ni del rey, presentó la dimisión y cruzó la frontera hacia Francia. Allí residiría, en París, hasta su muerte.

Se hizo cargo del Gobierno el general Berenguer, cuya pretensión era restablecer la Constitución de 1876, pero se vio desbordado al pasarse al bando republicano una parte importante de las fuerzas liberales que habían sustentado a la monarquía en otros tiempos. Alfonso XIII, después de casi 30 años de reinado, dejaría el trono en poco más de un año: el 14 de abril de 1931.

Con el país en plena crisis política y social, todavía se realizaron las exposiciones Internacional de Barcelona e Iberoamericana de Sevilla en 1929.

Datos para una historia

Años	Historia de España	Historia Universal
1898	Se firma el Tratado de París. España pierde Cuba, Puerto Rico y Filipinas.	China cede Port-Arthur a Rusia.
1901	Numerosos disturbios y mítines anticlericales.	Muere la reina Victoria de Gran Bretaña. Fin de la guerra de los Boxers en China.
1902	Mayoría de edad de Alfonso XIII.	EE.UU. compra la compañía francesa del Canal de Panamá.
1903	Antonio Maura es elegido presidente del gobierno.	Primer vuelo de los hermanos Wright.
1904	Tratado Hispano-Francés sobre Marruecos.	Guerra Ruso-japonesa.
1905	Muere Francisco Silvela. Elecciones generales de diputados a Cortes.	Domingo rojo en San Petersburgo. Sublevación del acorazado Potemkin. Teoría de la relatividad de Einstein.
1907	Se funda *Solidaridad Obrera*, órgano de la CNT.	EE.UU. controla la República Dominicana.
1909	Operaciones militares en Marruecos. La Semana Trágica. Ejecución de Ferrer Guardia.	Robert Peary alcanza el Polo Sur.
1910	La «ley del candado» de las órdenes religiosas.	Nace la República Dominicana.
1912	Canalejas es asesinado.	Francia establece su protectorado en Marruecos.
1913	Se establece la Mancomunidad de Cataluña	Se abre el primer Parlamento chino. Paso del primer barco por el canal de Panamá. Italia conquista Libia.
1914	España se mantiene neutral en la Primera Guerra Mundial.	Comienza la Primera Guerra Mundial. Asesinato en Sarajevo del príncipe heredero del Imperio Austrohúngaro.
1917	Conflictos y numerosas huelgas. Actuación de las Juntas de Defensa Militares. Asamblea de Parlamentarios.	Revolución Rusa. EE. UU. declara la guerra a Alemania y entra en la Primera Guerra Mundial.

Años	Historia de España	Historia Universal
1918	Cambo entra en el Gobierno de Maura.	Fin de la Primera Guerra Mundial.
1919	Huelga de «La Canadiense». Se implanta la jornada laboral de ocho horas.	Paz de Versalles. Se fundan los fascios italianos.
1920	Eudardo Dato constituye gobierno de signo conservador.	Se funda el Partido Nacional Socialista en Alemania. La Sociedad de Naciones empieza su labor en Ginebra.
1921	Desastre de Annual. Asesinato de Dato.	Fin de la guerra Ruso-polaca.
1922	Primer Congreso del PCE.	Independencia de Irlanda y Egipto.
1923	Primo de Rivera al poder. Asesinato del *Noi del Sucre*, Salvador Seguí.	Francia y Bélgica ocupan el Ruhr al no poder pagar Alemania las indemnizaciones de guerra.
1924	Fundación de la Unión Patriótica.	Muere Lenin. Stalin sube al poder. Triunfo electoral de los fascistas de Mussolini. Se inicia el reconocimiento diplomático de la URSS.
1926	Derrota de Abd-el-Krim.	Alemania es admitida en la Sociedad de Naciones.
1927	El archipiélago de las Canarias se divide en dos provincias.	Ruptura entre la URSS y China. Trotski es expulsado del PCUS.
1929	Sánchez Guerra intenta un golpe de Estado. Se disuelve el Cuerpo de Artillería. Clausura de las Universidades.	Creación del Estado de la Ciudad del Vaticano. Crisis en la Bolsa de Nueva York. Fleming descubre la penicilina.
1930	El rey encarga al general Berenguer que forme nuevo gobierno. Pacto de los partidos antimonárquicos en San Sebastián.	Etiopía: Ras Tafari coronado como Haile Selassie I.
1931	Elecciones municipales. Proclamación de la II República. Se constituye la Generalitat de Cataluña. Azaña forma gobierno.	Japón ocupa Manchuria.

Glosario

Armisticio
Suspensión provisional y convencional de una guerra sin carácter definitivo, por acuerdo entre los combatientes.

Cabilas
Sistema de organización tribal de los beduinos o rifeños del norte de Africa.

Caciquismo
Práctica política consistente en dominar por medios no jurídicos la vida política de una ciudad, una comarca o una región. El cacique tiene su máxima expresión a finales del siglo XIX y primera mitad del siglo XX y su poder radicaba tanto en controlar las elecciones como en influir en las distintas administraciones para conseguir beneficios económicos y sociales para su zona. Los partidos liberal y conservador lo utilizaron para organizar la vida política española durante los reinados de Alfonso XII y Alfonso XIII.

Carlismo
Sector político que tiene su nacimiento en las pretensiones de don Carlos (1788-1855), hermano de Fernando VII, y sus descendientes, a ocupar el trono de España en contra de la decisión de abolir la Ley Sálica, que excluía a las mujeres del trono, posibilitando el reinado de Isabel II. Aglutinó en algunas zonas del país, especialmente en Navarra, una fuerza que provocó varias guerras civiles a lo largo del siglo XIX (1834, 1846 y 1872). Se caracterizaron por la defensa de una monarquía absoluta sin concesiones al liberalismo y el mantenimiento de un catolicismo integrista.

Concordato
Es el acuerdo entre el Papa y un Gobierno por el que se establecen las obligaciones y derechos mutuos de la Iglesia católica y un Estado. En él quedan recogidas, normalmente, el estatuto del clero, las órdenes religiosas, los subsidios a la Iglesia, la protección de las propiedades de la misma y la posible intervención del Estado en la elección de obispos.

Desamortización
Conjunto de disposiciones, prácticas administrativas y judiciales que se desarrollaron en España entre 1800 y 1855, por las que los bienes rústicos y urbanos que estaban en manos de la Iglesia, la nobleza o los municipios, denominados de «manos muertas» por estar sujetos al usufructo pero no a la venta, quedan libres, pasando a ser de plena propiedad de sus titulares (como ocurre con los mayorazgos de los nobles) o son declarados bienes nacionales (caso de las propiedades de la Iglesia o los municipios) y puestos a la venta en pública subasta.

Fueros
Conjunto de disposiciones, costumbres y prerrogativas que recibieron algunas localidades en la Edad Media y que, en muchos casos, fueron ampliándose y recogiéndose en documentos. Con la centralización del Estado y la homogeneidad de la legislación en el siglo XIX, sirvieron de base a las reivindicaciones de los movimientos nacionalistas y del carlismo, en lugares como Navarra, Euskadi y Cataluña.

Internacional socialista
Después de la experiencia de la I Internacional, constituida en Londres en 1864 con la presencia de sociedades obreras, asociaciones políticas, personalidades, filósofos y exiliados, surgirá a partir de 1889 la II Internacional, fundada, en principio, por los partidos socialistas alemán y francés, a los que se unirían los de otros países. Tras la Gran Guerra (1914-1918), sufrió una gran crisis de la que no se repuso hasta la Segunda Guerra Mundial. En 1919 el triunfo de la Revolución Rusa propició la creación de la III Internacional, en la que se integraron los partidos comunistas.

Jalifa
Autoridad suprema del antiguo protectorado español de Marruecos, que ejercía los poderes por delegación irrevocable del Sultán y desempeñaba las funciones que a éste competían.

Krausismo
Corriente filosófica que tuvo gran aceptación en círculos universitarios españoles desde la segunda mitad del siglo XIX hasta el primer tercio del siglo XX. Sus ideas se inspiran en el pen-

sador alemán Kraus y fueron introducidas en España por el profesor Julián Sanz del Río; preconizan un racionalismo armónico del mundo donde la familia y la nación, como asociacionismos naturales, serán los ejes de un mundo federativo basado en el apoyo y la participación. Los krausistas españoles contribuyeron a la creación de la Institución Libre de Enseñanza como alternativa a la educación clerical de la época.

Lock-out (Cierre patronal)

Cierre de los centros de trabajo impuesto por los empresarios, como medida de presión para hacer prevalecer sus intereses sobre los de los obreros, que quedaban en situación de paro masivo.

Mancomunidades

La coordinación de dos o más diputaciones provinciales quedó establecida por ley en 1913 y posibilitó que las reivindicaciones nacionalistas catalanas tuvieran un cauce con el establecimiento de la Mancomunidad de Cataluña, abolida durante la Dictadura de Primo de Rivera. Después, el nacionalismo catalán concretaría sus peticiones en un Estatuto y en la Generalitat.

Partido Liberal Conservador

Grupo político español creado por Cánovas del Castillo. Ejerció el poder mediante el sistema de turno de partidos, alternando con el Partido Liberal Fusionista presidido por Sagasta. A la muerte de Cánovas, el partido se escindió, carente de un líder indiscutible.

Partido Liberal Fusionista

Se constituyó en marzo de 1880 mediante la unión del Partido Constitucional y las diferentes ramas liberales. Su líder fue Práxedes Mateo Sagasta. Alternó el ejercicio del poder con el Partido Liberal Conservador de Cánovas. A principios del siglo XX, el partido estaba fraccionado en varios grupos, y desapareció con la llegada de la dictadura de Primo de Rivera.

Proteccionismo

Doctrina económica que propugna gravar los productos extranjeros para proteger la agricultura y las industrias autóctonas. A partir de finales del siglo XIX, la mayoría de los propietarios de tierras y fábricas españoles reclamaron mayores aranceles a los gobiernos, como medida para defender sus intereses, argumentando que ello servía para fomentar el desarrollo económico nacional.

Protectorado

Territorio que, en teoría, tiene plena soberanía y por ello se diferencia de una colonia, pero sobre el que un Estado ejerce un poder político, militar y jurisdiccional como ocurría con el norte de Marruecos, que estuvo bajo la «protección» española a partir de 1912, tras los acuerdos con Francia.

Reforma agraria

Conjunto de acciones y leyes por las que se lleva a cabo una redistribución de la propiedad de la tierra para conseguir un mejor equilibrio entre campesinos cultivadores y propietarios y obtener mayores rendimientos por hectárea.

Regeneracionismo

Corriente intelectual, política y literaria que desde 1898, con el fracaso de la guerra cubana, pretende desde distintas formas renovar la realidad social y económica española. No existe un pensamiento unitario y los términos de la «regeneración» adopta en cada autor o político formas diversas: desde Costa a Azaña, desde Maura a Pablo Iglesias.

Restauración

Período de la historia de España que se inicia con la incorporación de nuevo al trono de un rey Borbón, Alfonso XII (1874), hijo de Isabel II, después del período de la Revolución de 1868. Las bases políticas quedaron reflejadas en la Constitución de 1876, que permanecería vigente hasta la dictadura de Primo de Rivera iniciada en septiembre de 1923.

Indice alfabético

Bibliografía

Brenan, G.: *El laberinto español*. Plaza y Janés, Barcelona, 1985.

Carr, R.: *España 1808-1936*. Ariel, Barcelona, 1979.

Castillo, J. J.: *El sindicalismo amarillo en España*. Cuadernos para el Diálogo, Madrid, 1977.

Cuadrat, X., Conelly Ullman, J. y Talero, A.: *La Semana Trágica*. Cuadernos Historia 16, n.º 132, Madrid, 1988.

Espadas Burgos, M., Seco Serrano, C. y García, G.: *La España de Alfonso XIII*. Cuadernos Historia 16, n.º 98, Madrid, 1985.

Fernández Almagro, M.: *Historia del reinado de Alfonso XIII*. Montaner y Simón, Barcelona, 1977.

Fusi, J. P.: *Política obrera en el País Vasco*. Turner, Madrid, 1975.

García Delgado, J. L. (ed.): *La crisis de la restauración. España entre la I Guerra Mundial y la II República*. Siglo XXI de España, Madrid, 1986.

Garrabu, R. (ed): *La crisis agraría de finales del siglo XX*. Crítica, Barcelona, 1988.

Jackson, G.: *Aproximación a la España Contemporánea, 1898-1975*. Grijalbo, Barcelona, 1980.

Malefakis, E.: *Reforma agraria y revolución campesina en la España del siglo XX*. Ariel, Barcelona, 1976.

Maura, M.: *Así cayó Alfonso XIII*. Ariel, Barcelona, 1968.

Maurice, J., Serrano, C.: *Joaquín Costa: Crisis de la restauración y populismo (1875-1911)*. Siglo XXI de España, Madrid, 1977.

Paniagua, X.: *La sociedad Libertaria*. Crítica, Barcelona, 1982.

Pérez Ledesma, M.: *El obrero consciente*. Alianza, Madrid, 1987.

Rama, C. M.: *La crisis española del siglo XX*. Fondo de Cultura Económica, Madrid, 1976.

Ruiz Manjón, O.: *El partido Republicano Radical, 1908-1936*. Giner, Madrid, 1976.

Seco Serrano, C.: *Alfonso XIII y la crisis de la Restauración*. Ariel, Madrid, 1987.

Shlorno Ben Ami.: *La dictadura de Primo de Rivera, 1923-1930*. Planeta, Madrid, 1984.

Tussel, J. y Avilés, J.: *La derecha española contemporánea. Sus orígenes: el maurismo*. Espasa-Calpe, Madrid, 1986.

Varela, J.: *Los amigos políticos*. Alianza, Madrid, 1977.